アマテラスの暗号（下）

伊勢谷 武

宝島社

アマテラスの暗号（下）

この小説における神名、神社、祭祀、宝物、文献、伝承、遺物、遺跡に関する記述は、すべて事実にもとづいている。

主な登場人物

賢司（ケンシ）・リチャーディー……ゴールドマン・サックス元トレーダー。歴史学専攻
イラージ・カーニ……賢司の元同僚。イラン出身のロケット・サイエンティスト
デービッド・バロン……賢司の元同僚。ロスチャイルド家親戚。ユダヤ系米国人
ウィリアム・王（ワン）……賢司の元同僚。開封出身の中国人。陰謀論者
イエナン・リチャーディー……賢司の母。イタリア系マラノのアメリカ人
海部（あまべ） 直彦（なおひこ）……賢司の父。籠神社の第八十二代宮司
度会（わたらい） 忠行（ただゆき）……在ニューヨーク日本総領事館員
土岐（とき） 大輔（だいすけ）……籠神社神職。海部直彦宮司の付き人
郭（カク） 雲雕（ウンチョウ）……中華人民共和国駐日本大使
周江（シュウコウ）……中華人民共和国駐大阪総領事
小橋（こばし） 直樹（なおき）……下鴨神社神職。小橋道久宮司の養子
ヴォルター……諜報員

アブラハム・ヘルマン……イスラエル機関アミシャブ代表

田中清美（たなかきよみ）……デービッド・バロンの元婚約者。伊勢神宮の元巫女

兼平正人（かねひらまさと）……第七十八代諏訪大社宮司。賢司の父の友人

宗村暁明（むねむらあきはる）……元下鴨神社神職。小橋直樹と同期

赤猫……諜報員

ラビ・ヨセフ・コーヘン……日本ユダヤ教団（シナゴーグ）のラビ。神道研究家

ナオミ・コーヘン……ユダヤ人の神道研究家。ラビ・ヨセフ・コーヘンの娘

デーブ・ヘラー……元駐日イスラエル大使。神道研究家

マーク・シルファン……モサド諜報員

大竹雄策（おおたけゆうさく）……祇園祭山鉾連合会元会長。ヘラー氏の知人

海部定信（さだのぶ）……賢司の叔父。伊勢神宮内宮の宮司

三浦憲行（みうらのりゆき）……神道史の元講師。出雲大社のボランティアガイド

登場人物はすべて架空の人物であり、たとえ名が似ていても実在の人物とは関係ありません。

偽物の本物

中国大使館の科学検査室では、中国トップクラスの三人の科学検査官が、突き刺すような鋭い視線を机上の神の絵に集めていた。

なにしろ中国の安全保障環境がかかっている代物である。三人の目は、周領事の執念が乗り移ったのではないかと思えるほど真剣そのものだった。

確かに世の中的には、この絵はまったく価値のない贋作である。しかし彼らにとっては、唯一の絵。いわば偽物の本物だった。

失敗は許されない――それは、中国の世界戦略の失敗さえ意味しかねないからだ。

三人は、これからどのように情報の抽出に取り組むかのプランニングから入った。透かし、マイクロ文字、潜像模様、特殊画材、あぶり出しなど、一般的な隠し文字が最も可能性が高い。しかしこれらで見つけることができなければ、電子顕微鏡、赤外線、紫外線、X線などの科学的検査方法や、最終的には化学薬品の使用や紙の剝がしなど、あらゆる可能性が色彩や紙の状態を踏まえて検討された。

重要なのは正確さだけではない。迅速性もだ。三人とも、神の絵が届けられたときの周領事からの指示は明確に覚えていた。それはシンプルだが、とても厳しい条件だった。

「午後には郭大使に報告する。何とかしろ」

ほかの四人は地獄を目撃したように歪んだデービッドの形相と、血の気の引いたナオミの顔色を見て、質問をすることとさえ後込みしていた。

先に我に返ったデービッドが、今度は抜け殻のような顔つきで口走った。

「この『カムヤマトイワレビコスメラミコト』は、初代神武天皇の生前の正式名だ」

その真意がわからず、賢司はまだ次の言葉に窮していた。ナオミが説明する。

「実は、『神武』のような日本の天皇の名前は、諡といって天皇の死後に贈られる名前なんです。神武という名も、八世紀になってからつけられた名。生前の公式名称は、『カムヤマトイワレビコスメラミコト』だったの。ただ、これは日本語では意味がわからない。さまざまな説はありますが。でも父が正しいとすると、もとはアラム語だったようですね」

「神武天皇は、失われた十支族がサマリアの北イスラエル王国を継承し、日本に新たに創設したことを象徴する天皇だった？」

デービッドの魂が抜けたような質問に、イラージがまた鋭い洞察を返した。

「前の七枚の絵とは、まったく意味が異なる」

頷きながら、賢司もその通りだと思った。この話は、編纂者のなかに聖書の内容について何らかの知識を持っていた人がいたということだけでは、到底説明つかないことだ。

半信半疑ながら、賢司はその甚大な影響の可能性を感じていた。

「ちょっと気になったんですけど、その神武天皇の正式な名前に『ヤマト』という音がきこえましたが、それってヤマト民族と関係ありますか？　ヤマトって、確か、日本人が誰も意味を知らない自分たちの民族の名前ですよね？」

賢司の質問にヘラー氏が平然とこたえる。

「ええ、正確には、『ヤー・ゥマト』ですが。アラム語で、『神の民族』という意味です」

賢司はぎょっとした目つきでヘラー氏を睨みつけた。

アラム語で『ヤマト』は、『神の民族』――。もし本当にユダヤ人が日本の礎を築いた人たちなら、ヤマトほどピッタリくる民族名はないのではないか？

そういえばユダヤ人も日本人も、民族の歴史が神から約束された地への東征で始まる。モーゼはエジプトを脱出したあとカナンに東征し、神武天皇もヤマトへ東征した。

これも単なる偶然か？　同じことを察してか、ヘラー氏が語った。

「ラビ・コーヘンは、東征した神武のモデルはモーゼだったかも知れない、といっていましたよ。どちらも神意によって導かれ兄とともに東に進むけど、兄が先に亡くなり、約束の地に入ろうとするも迂回せざるを得なかった。で、どちらも全軍が病や毒蛇に苦しめられるが、モーゼはヤァウェの指示で創った青銅の蛇の神威、神武はアマテラスから授かった剣の神威によって回復した。その後モーゼは百二十歳で亡くなり、神武は百

兄とともに約束の地に向かって東進した神武天皇

兄とともに約束の地に向かって東進したモーゼ

二十七歳で崩御した。それに、そもそもモーゼが目指した『カナン』とは、神武が目指した『葦原中国』の『葦原』という意味なんですよ。あ、それから場所名の奇妙な一致でいえば、アマテラスや神々がいる『高天原』とは、聖典の民の始祖アブラハムが『カナン』に向かう前に住んでいた『タガーマ州のハラン』、つまり『タガマ・ハラン』のことではないかともいっていましたね」

賢司は長い溜息をついた。これは偶然ではとうていあり得ない量の一致だ。

ナオミが頷きながら加える。

「日本神話でニニギが天孫降臨した高千穂も、神武がもともと住んでいて東征を開始した日向も、宮崎県にある同名の地が有力視されているんだけど、奇妙なことに一帯には彼らを祀る古い式内社は皆無なの。日本建国物語スタートの聖地なのによ？　おまけに南九州は、八世紀になるまで天皇家が制圧に苦労し続けた地域――。おかしすぎるでしょ？」

おかしすぎる――。確かに、おかしすぎる。

この裏には、必ず何かが隠されている――。だが、疑問もあった。

「でも本当にユダヤ人が来たのなら、なぜ日本には聖典がないのでしょう？　それに、なぜ正直にそう正史に書かなかったんでしょう？」

「まずミャンマーで発見されたマナセ族には、中国を追われたとき聖典を奪われたという伝承が残っています。それに日本で正史が編纂された八世紀までには、天皇家の軍事的な優越性は失われ、多数派でもなかったからだと思いますね。だから書けなかった。逆に、神話で天皇家を神道の最高神アマテラスの直系と位置づけ、豪族たちが信奉する神々をその配下に組み込むことによって上下関係と支配体制を確立していったのだと思います」

ナオミの話では、外交用に正史として編纂された『日本書紀』と比較して、国内向けの天皇家の歴史として神話の重点が大きい『古事記』にその色が強いということだった。

急に、ナオミが表情を曇らせながら問いを発した。

「でも私もアマテラスのことで、どうしても腑に落ちない摩訶不思議なことがあるんですよ。いま大学院で研究しているのですが、大嘗祭という天皇家の最重要祭祀をご存じですか？」

そういうと、ナオミはまるで懺悔でもするような口調で、世にも奇妙なこの秘儀について語り始めた。

ナオミによると大嘗祭核心の神事が行われる悠紀殿と主基殿の部屋は、南北に細長い長方形の小さな部屋で、二陣に仕切られているという——儀式が行われる北側の主陣と、侍従たちが準備を行う南側の小さな副陣だ。真新しいイグサと竹を編んだ薄緑色の上敷きが下一面に敷かれ、壁には葦の簾が掛けられている。主陣の灯りは北側の両角に燈楼、西側に燈台が一つ置かれているが、窓はないためその光がすべてであった。

問題は、主役ともいうべき主陣の中心に置かれているものだった。

「一体、何だと思いますか？」

ナオミの視線の強さに、四人の顔はキッとこわばった。

北
廻立殿
鳥居
主基殿
鳥居
悠紀殿
薬舎
薬舎
西
東
鳥居
鳥居
殿外小忌帳舎
庭積帳殿
庭積帳殿
膳屋
膳屋
小忌帳舎
小忌帳舎
鳥居
帳舎
帳舎
南

大嘗宮

悠紀殿・主基殿

誰も知らない御名

「それが、なんと——、寝床が置かれているんですよ」

唐突すぎて訳がわからず、しばらく混迷の空気が部屋中に漂っていた。

「えっ？　寝床ですか？」

やっと賢司が掠(かす)れた声で叫んだが、もはや開いた口はふさがらない。

「はい。白い絹で縁取った畳を、八重に重ねた八重畳(やえだたみ)というものでつくった一人用の細長い寝床です。その隣には麁服(あらたえ)と繒服(にぎたえ)という麻と絹の織物——」

ここで一息つくと、ナオミは四人の盲点を突くとんでもないことを口にした。

「しかも不思議なことに、この寝床はなんと、唯一の神座(かみざ)なんですよ」

声にならない長嘆が四方の壁に染み入った。——神座が寝床？　神がここで寝る？

世界広しといえども、そんな神、ほかにまったく思い当たらなかった。

「しかも、この寝床の神が誰なのか、その名を知っている人が誰もいないんです」

その真意はわからなかったが、判断できたのはナオミが真剣だということだけだ。

防戦一方の賢司を尻目に、脇からイラージが科学者らしく単刀直入に質問をズバリとぶつけた。

「アマテラスではない？」

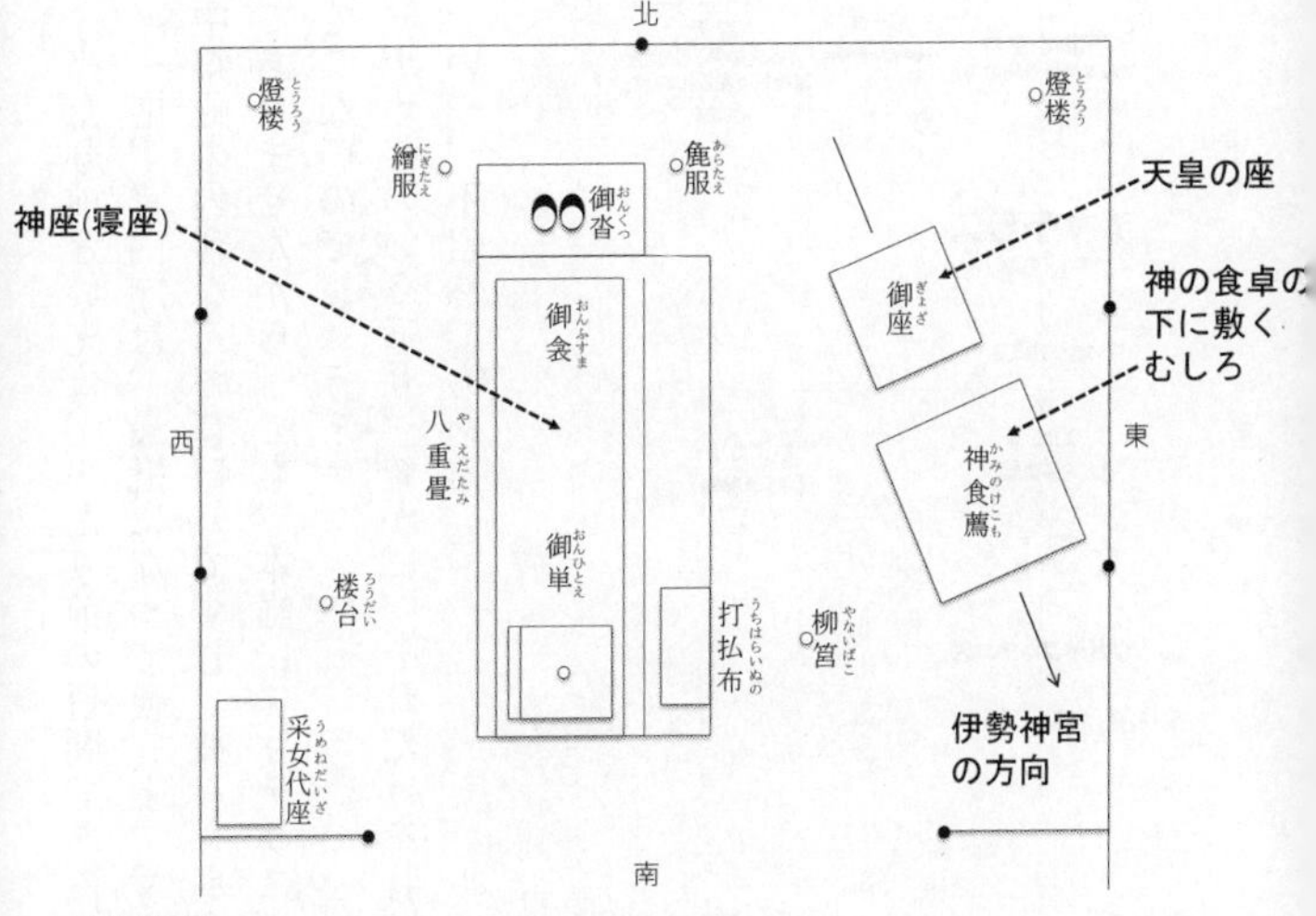

内陣配置図

麁服を入れる細目籠

当たり前といえば、当たり前の質問である。だが、ナオミは冷静に切り返す。

「一応、宮内庁は、最近になって便宜上アマテラスだと対外的にはいっていますが、宮中祭祀(きゅうちゅうさいし)の内容なんて管轄外ですし、彼らも真実は知りません——そもそもどこにも書いてありませんから。でも、本当にアマテラスだとすると、なぜそれだけが外に一切洩れてこないのでしょう?」

ナオミのいう通り。確かに、それだけを特別扱いにする必要などまったくない。

いや、不自然でもある。

天御中主神（日本神話最初の神）
同一神
豊受（外宮の神、もともと籠神社で祀られていた）

アマテラス（内宮の神）
オシホミミ
ニニギ（天孫降臨）
ホアカリ（海部氏始祖）
ホホデミ（山幸彦）
ウガヤフキアエズ
神武天皇

「ということは、豊受(トヨウケ)ということでしょうか?」

賢司もとりあえずいってみたが、特に理由はなかった。単に伊勢神宮内宮(ないくう)のアマテラスでなければ、外宮(げくう)の豊受ではないかという安直な理由からだ。

しかし、ナオミも答えは知らないがそのことは十分考えたようだった。

「実は豊受の別名は、日本神話で最初に出てくる天御中主神(アメノミナカヌシ)という天の中心の神なんです。大宇宙の中心にいて、姿形もなく、死ぬこともない神で、天地を主宰する特別な神なんですよ。だから私も最初そう考えましたが――」

賢司は系図に書き込みながら、天御中主神はユダヤ教のヤァウェに似ていると思った。でも驚いたのは、豊受がもともと祀られていたのは父の籠神社（このじんじゃ）の奥宮（おくみや）、真名井（まない）神社であると、母の手紙に記されていたことを思い出したからであった。

「では豊受だとすると、そのとき、アマテラスはどこにいるのでしょうか？」

ナオミのもっともな質問に、賢司も、確かに――、と引かざるを得なかった。

しかし普通に考えれば、アマテラス以外はあり得ようがない。天皇が神道の最高神で皇祖神（こうそしん）であるアマテラス不在の場所で、しかもほかの神の前で、霊的に天皇になるなんてあり得ないからだ。この部屋にはほかの場所はない。神座はたった一つなのである。

だが突然、エキセントリックな閃（ひらめ）きが浮かんだときのイラージの甲走った声が、賢司の思索を断ち切った。

「確かに普通に考えればおかしいけど、こうも考えられる――」

インターポール

「はい」

マーク・シルファンは電話の声に取った相手を確認すると、急（せ）き立てるようにきいた。

「マークだ。ちょっと事件が発生してね。仕事中悪いんだけど、急ぎで調べてもらいたいものがあるんだが」

「シルファンさん、またですか？　いまちょっと手が離せないんで、できれば正規なルートでお願いしたいんですが」

「実は、元大使のヘラー氏が狙われたんだよ」

「えっ⁉　本当ですかそれ⁉　命に別状は？」

「いや、ご無事だ」

語尾が若干緩くなった。

「そうですか。ま、そういうことであれば、ご協力しましょう。で、何を？」

「犯人の女について、わかっていることがあれば教えてほしいんだが」

「女？」

「ああ。フィリピン人ということで日本に入ってきている。女とその親戚について、インターポールでわかっていることがあればすべて教えてほしい」

「わかりました。で、指紋か何かありますか？」

「うん、指紋はいまからメールで送る。で、嘘か本当かわからんが、わかっている範囲で女の詳細もメールに記載しておくから」

「了解です。わかり次第こちらから連絡します」

マークは電話を切りながら、メールの送信ボタンをポンと叩いた。

主役の神

一斉に集まったみんなの注目にこたえるように、イラージは快活な表情で続けた。

「伊勢神宮で推理したように、アマテラスは本当は最高神でも皇祖神でもない可能性もある。だとすれば、アマテラス以外の神ということも十分あり得る。あと、もう一つの重要な可能性として指摘したいのは、アマテラスの名前と名声をほかの神に乗っ取られたと推理したように、大嘗祭（だいじょうさい）の神座にいる神もアマテラスを装っているけど、実際は乗っ取られる前か後の神ということもあり得る。だとすれば、その名がその究極の秘密として隠されていることも理解できる――」

その突飛な発想に、ナオミはしばらく目をパチクリさせていた。

「ロケット・サイエンティストというのは、本当にユニークなことを考えるんですね――」

それをきき流すと、またまたイラージは核心を突くように指摘した。

「あのメモの四つのボックスだけど、この主役の神の名か、その名に通じる究極のヒントの四文字が入るボックスだと思う」

ハッとした賢司は、リユックのポケットから慌ててメモを引っ張り出し、ナオミに説明しながら机の上にひろげた。ナオミが覗（のぞ）き込む。

「――もしそうだとしたら、四文字の神の名って、YHWH（ヤァウェ）のことかしら？　いや、ちょっと待って――、BAAL（バアル）も四文字ね」

ナオミのいったバアルは、聖書にも記述があるカナン地方一帯で信仰されていた異教の神であった。背教していた失われた十支族のなかにも、あがめていたものが多くいたとされる神でもある。

「バアルはカナン地方で古くからあがめられていた高位の神よ。でも、よく雄牛の頭を持った姿で表されることがあるんだけど、日本には昔から牛頭天王という、まさにバアルそのもののような古い神もいるから、バアルの可能性は捨てきれないわね」

バアル

「イスラム教のアラーは？　あ、ALLAHは五文字か――」

いったのは王だったが、ナオミがすぐに反応する。

「いや、アラーはアラム語ではELAHと表されていたし、古代から日本にはペルシャ人も来ていたようだから、可能性はあるわよ。

――当時のシルクロードにはギリシャ語を話す人も沢山いたから、ギリシャの最高神ZEUS（ゼウス）もあり得るわね。日本神話は、ギリシャ神話に似ている側面があるという説もあることだし」

賢司は頭をフル回転させながら、ほかの神の可能性を考えていた。日本の米作にもマッチする――、

「アマテラスは女神だから、豊穣の女神アシュタロテは？　と――、
し」

アシュタロテも聖書に登場する、地中海沿岸で広くあがめられていた異教の女神であった。

「私もその可能性は考えたけど、アシュタロテはアラム語、ヘブライ語、ギリシャ語、エジプト語、ウガリット語――どの言語でも五～八文字、当時もいまも四文字にはならないわ」

すると脇から、イラージが冷や水を差すように短く吐きかけた。

「この方法じゃ、わからないよ」

ナオミがそれに頷きながら、

アシュタロテ

「そうですね。実は大嘗祭では、このあと天皇はとても不思議なことをするのですが、もしかしたらその行為がヒントになるかもしれませんね――」
そういうと、ナオミは再び神秘に包まれた謎の次第について静かに語り始めた。

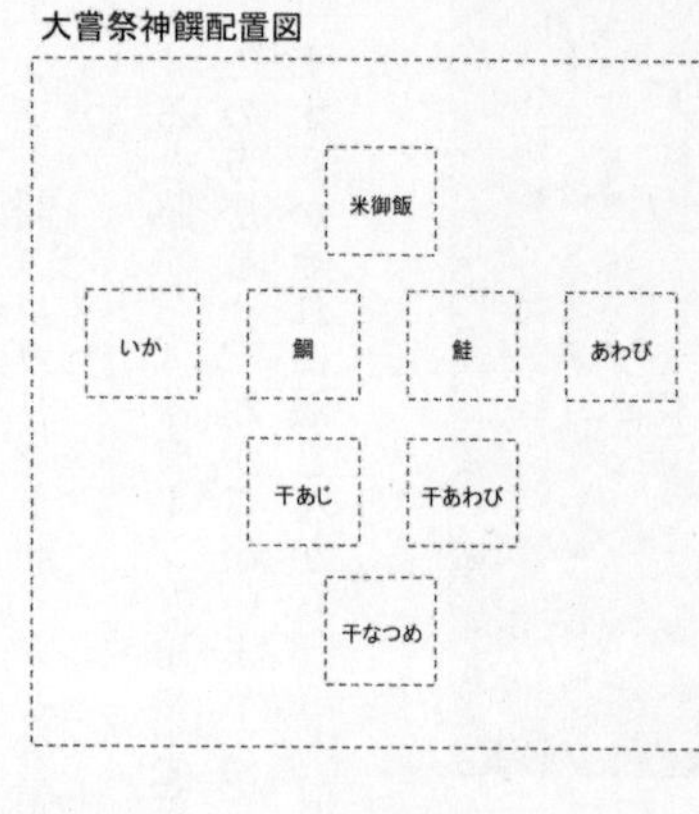

大嘗祭神饌配置図

「最初、天皇が主陣に入ると、まず御座の上に座り手を清めます。次に天皇が自ら神饌を柏の葉の食器に一品ずつ取り分けて、采女がそれらを神の食事として八足の台の上に並べ供えます。全部配り終わると采女が退出し、その先はすべて天皇と神だけ、一対一の世界になります。ここでまず天皇は一世一代の祝詞を読み上げ、神に祈りを捧げます。そのあと神饌を自分用の食器によそって自分で食べるのです。最初に御酒、次に米御飯、その他の食べ物を順に食べます。まさに、神とともにする食事です――」

ナオミはここで取り憑かれたようなみんなの顔を、曰くありげにぐるりと見渡した。

「実は、本当に不思議なのはこの次なんです――」

賢司は固唾を呑んだ。

中国と西インド諸島

郭大使は上機嫌のように見えた。

どのルートか周領事には知りようがなかったが、〝神の絵〟を確保したニュースを耳に挟んだようだ。郭大使は最近機嫌のいいときにする、つまらぬ自慢話をやはり語り始めた。

「この前、ロジャーズ米国大使に偶然あるところでお会いしてね、そしたら『中国は南シナ海での力による現状変更を抑制すべきだ』っていうから、逆に質問してやったんだよ。『なんで十九世紀の終わりから二十世紀にかけてアメリカが西インド諸島周辺でやったことと同じことを、中国が南シナ海でやっちゃいけないんですか？　アメリカには許されて中国には許されない理由は何ですか？』ってね――」

そのロジックはこうだ。十九世紀の終わり、世界覇権からずり落ちるイギリスを尻目に、アメリカが覇権を奪取するため最初に実行した戦略は、海軍を強化し西インド諸島からヨーロッパ諸国を追い出すことだった。

これがすべてのキーだ。

この戦略が成功したことにより、メキシコ湾、カリブ海がアメリカの勢力下に落ち、西インド諸島だけではなく、南アメリカ大陸の北側沿岸諸国を影響下に収めることができた。結果、アメリカはこの地域の最強国となり、大西洋も事実上支配して西半球を勢力圏に収めることに成功した。

さらにアメリカはこの地位を使って、東半球のバランス・オブ・パワー・ゲームに参加することができた。ハワイ、フィリピンを侵略すると日本を欺いて戦争に引きずり込み、一挙にグローバル・ヘゲモンの地位へとのぼり詰めたということだ。

アメリカは大西洋と太平洋の征服を確実なものとするために、もう百年以上も前に二つの国の台頭を絶対に許さないことを正式な外交方針として取り入れていた。ドイツと日本である。

アメリカのこの外交ポリシーは、二十一世紀のいまでさえ何も変わっていない。戦後、ニクソン大統領が国交樹立のために中華人民共和国を訪問したとき、毛沢東(もうたくとう)とこの方針が確認されたことが記録に残っている。のちにはソ連崩壊後、アメリカが新たな世界秩序のもとで一九九一年に策定したグランド・ストラテジー、Defense Planning Guidanceにも、この項目が入っていたことをアメリカの大手新聞がすっぱ抜いたのだ——。

「そしたら、ロジャーズ大使は『何の話ですか?』っていわんばかりにとぼけているから、いってやったんだよ。『アメリカにとっての西インド諸島周辺は、中国にとっての南シナ海。パナマ運河はマラッカ海峡。アメリカが支配した二つの海、大西洋と太平洋は中国が支配を目指す西太平洋とインド洋——。まったく同じでしょ?』ってね」

海を一つ支配した国はその地域のヘゲモンだ。しかし二つの海を支配すれば、立派に世界のグレートパワーの一つになれる。中国が西太平洋とインド洋の二つの海を支配するためには、これらを繋ぐマラッカ海峡がカギとなり、そのために南シナ海は欠かせない。

郭大使は自慢げに締めた。

「そしたらロジャーズ大使は目をパチクリさせながら、そこまでご存じでしたら――ってな感じで黙ってしまったよ。ハッ、ハッ、ハッ――」

究極の秘奥義

薄暗い室内に、静謐な空気が漂い、時の経過さえも凝固しているかのようだった。なぜか、壁にかけられた古い絵画さえ、この不可思議な世界の物語を静かに語りかけているようにも思える。そしてナオミが紡ぎ始めた言葉が、その神秘を解き明かす鍵を提供する一筋の光のように感じられた。

「実は天皇はひと通り食べ終わると、今度は中央の寝床にいき、なんとそこに臥すんですよ」

その告白は、空間を貫く刀のように、賢司の意識を裂いた。

虚を突かれた賢司はまったく動けない。溜息も、唸り声もない、ただの沈黙がしばらくあった。

理解の範疇を超えた儀式の意味に、心の準備が追いつかない。王も驚愕し、豆鉄砲を喰らった鳩のような形相で言葉を失っていた。それはただの儀式ではなく、天皇と神との間の秘められた対話の痕跡だった。

「えっ？　よ、横たわる？　か、神座にですか？」

いつもは突っぱっているデービッドも、さすがに度肝を抜かれたようだ。

「──なんとも型破りな儀式ですね、確かに……」

譫言のような声で賢司がひとりごちると、傍ではイラージがまた命題を吐いた。

「大嘗祭の究極の秘奥義は、天皇が神座の寝床に臥すという行為に凝縮されている」

デービッドが頷きながら、縋るような眼差しを賢司に送ってきた。

その眼は賢司に釘づけとなり、眼光にはただの好奇心以上のものが宿っている。ある種の動揺の色が、瞳の奥から湧き上がっていた。この神秘な古代の習わしのなかに、自身が追い求めてきた失われた歴史の一部を見出そうとしているかのようだった。

一方、賢司の心はまだ、その啓示についていけずにいた。天皇と神々の古い絆を、現代の心で理解することの重さに、思考が圧倒されていた。その沈黙が、室内に漂う古文書のかすかな紙の香りのように、ゆっくりと周囲に溶け込んでいった。

「僕たちは、何を見落としているのだろう？」

賢司が呟くと、イラージは皆を見回した。その動きは、まるで何世紀もの時を経て蘇った神話のなかの登場人物のように、威厳を帯びていた。

「祭祀は、語られなかった秘密を多く抱えている。天皇がこの儀式で、臥して神と対話するというのは、単に伝統を超えた何かを象徴しているのかもしれない」

イラージの声は冷静で、それでいて、なにかを解き明かす鍵を握っているかのように響いた。

いまや、この神秘的な対話を解読することは、賢司たちにとって単なる謎解き以上のものを意味していた。それは、過去が現代に落とす影をたどる旅であり、先人たちの遺(のこ)した知恵、彼らの魂に息づく古き精神、そして歴史の深淵(しんえん)に眠る真実に触れる可能性さえ予感させていた。

「なぜ天皇が横になるのかがわかれば、そこにいる四文字の主役の神の名もわかるな」

デービッドの言葉が、重たい空気に一縷(いちる)の疑問を投げかけた。天皇が行うこの動作は、可視世界と神々の隠された領域の間に存在する、目に見えない絆を確認する儀式の役割を果たしているのかもしれない。

賢司は、この神秘に満ちた儀式の意図を理解しようと、思いを巡らせた。古文書にさえ記されなかった、忘れ去られた神話の断片。そのなかで天皇はただの人間ではなく、現人神(あらひとがみ)としての役割を担い、国の繁栄と人々の幸福を神々に祈り願う存在なのであろうか。そして、この行為は単に神々への奉仕ではなく、彼らの祝福と託宣を受けるための行為なのであろうか。

賢司は一度頷くと、今度は声に自信を含ませていった。

「でも——、その反対もあり得るけどね。つまり神の名前がわかれば、なぜ天皇が寝床で横になるのか、その理由がわかるかも知れないということだけれど」

いいながら、その言葉が、深い謎を秘めた儀式の新たな可能性を示唆していることに気づいた。神の御名(みな)を知ることができれば、その秘奥義の真実に辿(たど)りつけるかもしれない。それは、遠い過去から伝わる祭祀を解明する糸口であり、現代に生きる自分が古の智慧(ちけい)と繋がることを許される契機——賢司にとって、これはもはや、父の死の謎の探究だけではなく、自らの存在とこの世界に対する理解を深める一歩になろうとしていた。

ふと辺りを見渡すと、みんなも確かにそうかも知れないというような顔をしていた。

偽物の偽物

周領事は郭大使の高らかな笑声を、感心した素振りと濁った笑い声でしばらくきいていたが、遂に思い立ったように切り出した。

「実は、我々が摑(つか)んだ絵なんですが——」

心なしか、郭大使はいよいよ来たなといわんばかりに前のめりになった。

「うん、ニュースはきいている」

郭大使はドシンと構えた。

「実は——、偽物だったんです」

郭大使はじっと固まりながら、しばらく心を失ったような表情だった。

「そ、そもそも我々が追い求めていたのは偽物――だったはず」

といいかけたが、すぐさまハッとしたように叫んだ。

「ということは、我々は偽物の偽物を掴まされたということか⁉」

しばらく周領事を睨んだあと、みるみる怒りを露わにする郭大使に周領事はひるんだ。

「――は、はい、絵には何も記載されていませんでした」

「〝神の絵〟はそもそも存在しないということか？ 偽物を掴むために、中国の関与をわざわざ日本とイスラエルにバラしたかもしれないということか⁉」

郭大使は勢い余って、机を手のひらでパーンと叩いた。

「本当に申し訳ございません」

「私がききたいのは謝罪ではなく、次への展望だ」

しかし周領事は、ここで思わせぶりな視線で応じる。

「じ、実は、まだその絵を持っている可能性がある人間がもう一人いたんです」

郭大使の表情が一瞬ゆるんだ。

「それは誰だ？」

「ラビ・コーヘンの娘、ナオミ・コーヘンです。いま日本にいます」

メシアの政治学

賢司には、今日ここで明らかになった聖書と日本神話の否定しがたい類似が、これまでユダヤ人が古代日本へ渡来した可能性を賢司に否定させてきた何かを取り除く、一つのきっかけとなったように思えていた。

最初、母からこの話をきいたとき、そんなことは絶対に不可能だと思った。しかし奇妙な一致を次から次へと見るうちに、それは興味へと変化していった。偶然だとしても面白いねと。そしてそれはやがて、もしかしたら？に変わり、いまは、多分ユダヤ人は古代日本に来ただろうという考えに変化していたのである。賢司はそれをはっきりと認識していた。

しかし、なぜ父やラビ・コーヘンが殺されなければならなかったのかは、さっぱりわからない。賢司の苛（いら）ついた問いに、ヘラー氏は思慮深そうな視線を向けてきた。

「それはアミシャブとイスラエル政府が、日本の本格調査に乗り出したからだと思います」

「でも、なぜイスラエル政府が？ まだヘブライ大学だったら理解できるのですが」

「実はアミシャブが、八百名ほどの失われた十支族をミャンマーからイスラエルに帰還させたのは、ユダヤ人を救う救世主（メシア）の到来を早めたいということなんですよ――」

キリスト教ではキリストというメシアがすでに到来したと考えているが、ユダヤ教ではまだ到来していないと考えている。そのことが、この二宗教の決定的な違いであった。

「ユダヤ教徒たちは、二千年もメシアの到来を待ち続けているのです。しかし、それには二つ条件があります。その一つが、モリヤ山にエルサレム第三神殿を建てることです」

ソロモン王が建てた最初のソロモン神殿は新バビロニアによって破壊され、第二神殿もローマによって廃墟とされた。その後、イスラム教開祖ムハンマドが、敷地内にあった聖なる岩から昇天したため、イスラム教徒がその岩を囲む〝岩のドーム〟を建てると、この地は両教徒が一歩も譲らない争いの場と化してしまったのである。

ローマ軍によって破壊されるエルサレム第二神殿

かつてソロモン神殿があった場所にそびえ立つ岩のドーム(写真提供:Bienchido / CC-BY-SA-4.0)

ヘラー氏は厳しい表情を崩さず、さらに続けた。

「もう一つの条件は、世界に散らばった失われた十支族の末裔が帰還することです。難しい条件ですが、これらは神が決めた条件であるため、人間が勝手に変えることはできないのです。しかも、もうあまり時間がありません。ユダヤ教の聖典には、メシアが六〇〇〇年までに現れると書かれていますが、『創世記』から始まるユダヤ歴によると、あと二百数十年。ですからいま、血眼になって失われた十支族を探しているのです」

イラージの冷静な声がここで割り込んできた。

「犯人はキリスト教の過激派の一派？　新しいメシアが降臨したら、イエスがメシアではなかったという証明になってしまうでしょ？　そしたらキリスト教も教会も存続理由がなくなり、大混乱に陥ってしまう」

もっともらしいその説を、ヘラー氏が否定した。

「確かに昔、アメリカのキリスト教原理主義者はそう考えていて、アンチ・イスラエルの外交政策を支持していました。しかし聖書の解釈を変更して以来、百八十度変わったのです。キリスト教徒が信じている新約聖書の『ヨハネの黙示録』では、メシアが世界の末日に再臨し千年王国を実現してキリスト教徒を救うことが信じられてきましたが、アメリカの保守派は、どうせユダヤ人が待つメシアも降臨すればイエス・キリストだとわかるのだから、イスラエルを支援してそのプロセスも早めようという考えになったのです。現在、アメリカの保守派がプロ・イスラエルなのはこのためです」

説明をじっときいていた王は、溜息をつくと釈然としない顔でぼやいた。

「ボクからすると、ナンだコンナコトだったのかって、感じですね。日々ニュースや紙面を騒がせ世界中を振り回している戦争や、テロや、国連での非難応酬の裏にアッタのは」

ヘラー氏がどこか申し訳なさそうな表情をみせると、王がさらにいった。

「でもボクは日本の右翼だとオモウね。彼らは天皇家と日本人の血の純粋性を信じ、守ろうとするグループだ。天皇が外国人とワカッタら正当性がナクナッテしまう。何でも暴力によって解決しようとする傾向もあるし、昨日の三本足のカラスのボタンの件もアルからね」

ナオミが鋭い語気で反応した。

ヨハネの黙示録：最後の審判（上）とキリスト再臨（下）

「でも、日本の本当の八咫烏（やたがらす）は二本足よ。三本足の烏（からす）は中国の伝説上の鳥だわ——」

意外な表情を見せながら、今度は賢司がナオミに反論した。

「えっ？　でも、全日本サッカーチ

ームのロゴは三本足ですよね？」

「ええ。神社にも三足烏を使っているところはありますが、日本の古書に八咫烏が三本足だと明記しているものはありません。当然、八咫烏がでてくる『日本書紀』にも『古事記』にも書かれていません。それに本居宣長や狩谷棭斎という江戸時代の最高の国学者や考証学者が、日本の八咫烏は三足烏ではないと明言しているんですよ」

するとデービッドが例の大風な顔で語り出した。

「ということは、犯人はそれを知らなかった外国人か？　だったら俺は中国だと思うな。宗教の問題じゃいまの時代こんな風に殺し合わないけど、安全保障問題なら毎日殺し合っているからな。で、いま、太平洋の西半分が欲しい中国にとって、最も邪魔なのは日米安全保障条約だ。でももし日本人が、ユダヤ人は親戚だったと気づいたらどうなる？日米安保を葬り去って西太平洋を支配する中国の野望は大きく後退するぜ――アメリカでユダヤ人は巨大な政治勢力だからな」

語尾を強めたデービッドは自説に酔っていたようだが、賢司は異論を展開した。

「僕は、アラブやイランの可能性も捨てきれないんだよね。いま中東では、世俗化が比較的に進んで経済的基盤も強かった国々が、民主化の名のもとに崩壊の憂き目に遭っていて、イスラエルと対峙するバランスを崩している。彼らとしては、この流れを食い止めたい。でも、もしイスラエルと日本が兄弟だったなんてことがわかってしまったら、どうなるだろう？　だったら、日本人ルーツを発見するプロセスを止めたいと考えるんじゃないかな」

その意見に、さもありなんといった空気が流れると、ヘラー氏が緊張を若干解した表情でみんなを見回した。

「実は明日、事件の原因を探りに少々遠出することになっています。海部(あまべ)宮司の事件とも関係ある重要なことが見つかるかもしれません。みなさんも、ぜひご一緒されませんか？」

デービッド、王、イラージの三人は少し考えると、安全策をとって帰国するという。事件とはまったく関係のない彼らにまで危険が及んだのである。無理もない。

賢司は自問してみたが、一度決めたこと。たとえ危険が迫ろうとも、父の最後の勇気を踏みにじる気にはなれなかった。

賢司はヘルマン氏のメモをポケットからまさぐり出した。

「実は、次はこの〝シルクロードの三本柱〟に行きたかったのですが――」

首を突き出して賢司の指先を覗き込むヘラー氏。すぐニヤリとした。

「あ、ここでしたら、私たちが行くところのすぐ近くです」

総括

神田(かんだ)駅近くにあるビジネスホテルのカーテンを閉めきった一室で、ヴォルターは苦虫を嚙み潰したような表情でこれまでの失敗を悔いていた。

ヘルマンも、ラビ・コーヘンも、賢司も神の絵を持っていなかった。

これは厳然たる事実だ――。

やり場のない不満を呑み込むと、カッと眼を見開く。苛立ちに震える指先でスマートフォン上の記録を確かめながら、これまでの経緯を総括し始めた。

――ということは、そもそも神の絵は存在しなかったということか？

脇に視線をそらした目尻の皺が、僅かに深くなる――。

いや、それは違う。絶対に。

奴の口述が嘘だったなんて、あり得ない話だ。そもそも奴は嘘をいえる人間ではない。命の恩人に対してなんてなおさらだ。義に生きるだなんて単なる心の弱さだが、それが奴の弱みであり、限界なのだ――。

あざ笑うようにそう思うと、一人呟いた。ちょろい奴だと。

ヴォルターは再度確信した。神の絵は絶対に存在する――。

供された水

その祭りは祇園祭という。

九世紀に起源を持つこの大祭は、七月一日から一カ月続く京の夏の風物詩である。古

祇園祭（写真提供:江戸村のとくぞう / CC-BY-SA-4.0）

からの囁きが風に乗り、祭の序曲が空を揺らし、心を震わす祇園囃子が暑い夏の訪れを予告する。神秘と現実、過去といま、生と死が交錯する、深淵なる舞台。神々は彼の地に降り立ち、人々に恵みを与え、そして静かに消えてゆく。祭には、命の脈打つ鼓動と調和する神々の秘儀が、歳月を経ても未だ息づいていた。

　この伝統は、いくつかの戦乱を耐え、時の荒波を超えて、ほとんど中断されることなく受け継がれてきた。その持続は、ただの祭りを超え、時を超越した歴史の証となっている。祇園祭は、そうして、その希有な輝きを世界に放ち続けてきたのである。

　京都駅構内で大竹雄策と紹介されたヘラー氏の知人は、祇園祭山鉾連合会の元会長であるという。ヘラー氏のイスラエル大使時代からの友人だそうだ。年の頃はヘラー氏と同様、耳順を迎えた頃だろう。恰幅のいい体と艶のある顔に溢れる余裕の笑みは、いかにも地元の名士といった風采だ。

その大竹氏について三人は、ごった返す人混みをかき分けながら地下鉄で烏丸駅まで行き、出し物が最もよく見えるという河原町まで十分ほど歩いた。

「今日はこんなに混んでいますがね、十七日は祇園祭で最も賑わう日なんですよ」

決して流暢とはいえない英語だったが、大竹は外国人への説明は慣れているようだった。

「何があるんですか？」

予断なく自分の目で感じたほうがいいとのことから、ヘラー氏は祇園祭が日本の古い祭りであること以外、賢司に何も教えていなかった。

「今日は、山鉾巡行といって、豪華に装飾した大きな山車がいくつも町なかを練り歩く、祭りのクライマックスともいえる日なんです」

炎天下、容赦ない七月の陽が照りつける。京の街は夏の盛りを迎えようとしていた。

吹き出す汗をぬぐいながら待っていると、四条通の向こうから山鉾が一台こちらに向かってくる。耳慣れない奇妙な囃子と、男たちの掛け声も一緒にきこえてきた。

それは、数十人の男たちにロープで引きずられた山鉾が前を横切る瞬間だった。通りの向こう側で、イラージが携帯電話で話し込んでいるのが見えた。

「イラージ！」

賢司は大声で叫ぶと、大きく手を振った。

一瞬、こちらを向いたような気がした。だが、山鉾が視線を遮る。通り過ぎると間髪

ペルシャ絨毯をつけた山鉾

をいれず、賢司はまた大手を振った。

しかしイラージは、そこにはもういない——。

あれっ？　どこに行ったんだろう？　賢司は怪訝そうな眼でナオミと見合わせた。

「ねえ、あれイラージだったよね？」

「ええ、私もそう思ったわ。もう一人の日本人と一緒にこっちを見たようだったけど——」

ナオミも洩らしたが、「でも、間違いかも知れない……」と首を傾げた。

狐につままれたような顔で祭りの喧噪に意識を戻しながら、賢司は山鉾の見送り（背面）を仰ぎ見た。今度はその派手やかな化粧に一気に目を奪われる。

が、何かがおかしい——。

悩むまでもなく、その理由はすぐにわかった。屋台を堂々と飾る化粧生地が、なぜか巨大なペルシャ絨毯だったのである。

「なぜ日本の伝統的な祭りにペルシャ絨毯があるんだろう？」

賢司は困惑の表情となる。だが、ヘラー氏は不気味な微笑を浮かべるだけだった。

いくつかの山鉾が通過し、次に目を引いたのはアフガニスタンの絨毯だった。ペルシャ絨毯に近いが、菱形（ひしがた）や三角形などの幾何学的な模様が中央アジアの情趣を醸し出していた。

しかし次の山鉾にはもっと度肝を抜かれた。なんと、特大のイスラム宮殿とフクロウが真正面でドンと幅を利かせているのである。古式ゆかしい日本の祭り情緒のなかで、それはとびきり異彩を放っていた。

「あれは、バグダッドの風景ですよね……」

とショックを隠せない賢司――。なぜ？と目できいたが、ヘラー氏は目を細めるだけで説明はしなかった。

バグダッドの宮殿の絵を化粧につけた山鉾
（写真提供:江戸村のとくぞう / CC-BY-SA-4.0）

ジリジリと照りつける熱暑のなか、山鉾の巡行は続く。千年の歴史のなかで、淡々と繰り返してきたように。

あまりの暑さに朦朧（もうろう）とし始めたとき、賢司はまた驚きにハッと息を呑んだ。目の前のタペストリーには、民族衣装の純白のトーブを身にまとい、荒涼とした砂漠をラクダで旅するアラビア人風の隊列が描かれていたのである。

これは、まるでシルクロードの旅そのものではないか？

　しかし思いを巡らせる余裕もなく、唖然としていた賢司のすぐ後ろから、今度はなんとピラミッドのタペストリーが――。

　もう降参といわんばかりの賢司に、ヘラー氏は意味ありげな笑みで次の山鉾をアゴで示した。その前面には、これまたひと際目をひくタペストリーが所狭しと存在を誇示していた。

　よく見ると、中央で、一人の女性が大きな瓶のようなものを男性に手渡している。右上部には、馬に乗った別の男性が描かれていた。

　何の絵だろう？――思わず小首を傾げる。

　しかし次の瞬間、鋭い衝撃が頭を貫いた。まさか、そんなはずは――。

　その閃きに、息を呑んだまま放心状態となる賢司。恐ろしくなり、いま一度凝視するも、やはり同じ結論しか思い浮かばなかった。やはり――。

アラビア人風隊列のタペストリー

ピラミッドを描いた化粧のタペストリー

うつろな視線をヘラー氏に戻しながら、賢司は顔の上のほうから声を出していた。

「この絵ってもしかして――、とても信じがたいことですけど――、創世記第二十四章、イサクに水を供するリベカ。イサクの嫁選びですか？　リベカから老僕エリアザルが所望の水を受けるところで、右上で馬に乗っているのがイサク……」

賢司の視線は宙に浮いたままだった。

とうとうヘラー氏が言葉を発した。

「実は、ギオン（GION）祭りとは、シオン（ZION）祭りのことなのです――」

中国政府専用ファックス・アプリが示す着信の振動を、赤猫は不安に襲われながらズボンのポケットに感じとった。――まだ何を？

渋々と認証操作を終え、硬い表情のまま画面をちらっと見る。すると、表情が一挙に沈んだ。

〝至急、大阪領事館に来館せよ〟

「俺のオペレーションは終わったはずだ。これ以上、何をしろというんだ！」

そう吐き捨ててみたが、やるせなさだけが込み上げてくる。腹の奥底から短く息をハッと吐き出すと、力いっぱい目を瞑(つむ)り、奥歯をぐっと噛みしめた。

約束は守ったのだから断るか？　それとも素直に大阪に戻るか？

そう思ったとき、噴き上がる憤怒の念が右手拳に溜(た)まり、それを頭の上から思いっきり机に振り下ろした。

が、いきなり、母の姿が閉じた瞼(まぶた)に浮かんできた。母は、厳格な父から常に自分を擁護してくれた。酒を浴びるように飲んだとき、無慈悲なほど厳しい父の暴力から身を挺(てい)して守ってくれたのも、いつも母だった。母から抱きしめられたときの温もり。思いやり深い言葉――。赤猫は、込み上げる想いに震えながら目を開いた。

せないでいた。

理不尽さに震える指先を後ろめたい眼で見つめながら、赤猫はなかなか返事を書き出

母の安全は自分にかかっている、自分がとる次の行動に。だが——。

しかしいま、その母は——。

ZION祭り

はっ？　一瞬、賢司の顔が戸惑いと畏れが重なったような表情になる。きこえたのは、すでに引き延ばされた想像の範囲を遥かに超えた言葉だった。

きいたその何かを消化しようとしたが、とてもできない。ただ焦点を失った眼差しでヘラー氏を見つめながら、固まっているだけだった。すると大竹氏が、

「祇園祭の縁起、しきたりは、ユダヤの文明から受け継いでいるものなのです。ソロモン王のエルサレム神殿が完成したとき、王は、国に伝染病が発生しないように祭りを催しましたが、この祇園祭も国に伝染病が起こらないようにとの願いから始まったのです」というと、ヘラー氏も、

「レビ記に示されているように、第七の月の最初の日は、イスラエルではローシュ・ハッシャーナー、新年最初の日として祝う日。祇園祭では神事始めの日です」と説明した。

二人の説明に、賢司はただ思い惑ったような目をしている。声は、到底出てこない。

「第七の月の十日は、聖書で〝聖なるところで水に身をすすぎ〟とあるように、イスラエルでは最も厳粛な日、大贖罪日です。日本では燔祭は行われなかった。もしくは、仏教の影響で桓武天皇が八世紀に出した殺牛祭祀禁止令で中止された。なので祇園祭でも十日は燔祭は行われませんが、使用される神輿を洗って清める神輿洗の日なのです」

矢継ぎ早に列挙される不思議な事実の連続に、賢司は慄然とする。凍りついたような空気がその場だけに漂い続けたが、次に何が出てくるかまったく予想できなかった。

「ソロモン王は、その伝染病から守るための祭りを第七の月の十五日目から一週間にわたって行い、十四日はその準備をする日。祇園祭でも、十四日の夜に宵山という前夜祭があります。さらに驚きなのは、今日、十七日は祇園祭で最も重要な山鉾巡行と神輿の日ですが、ユダヤ人にとっては何の日だか覚えていますね？」

アッと、小さな声を賢司は洩らした。傍ではナオミも放心しながら独言する。

「大洪水のあと、ノアの方舟がアララト山に漂着した日——」

七月十七日。それはユダヤ人なら絶対に忘れない、最も聖なる日の一つであった。

「極めつけは祇園祭はなんと『エンヤラヤー』という掛け

ノアの方舟

声で始まるんですよ――」

白い歯をこぼすヘラー氏の視線の先で、今度はナオミの顔がみるみる白く強ばっていく。

「『エンヤラヤー』とは、日本語では単なる掛け声で、まったく意味がないんですよ。しかしヘブライ語を理解している人には『エァニ・アーレル・ヤー』、つまり『わたしはヤァウェを賛美します』にきこえるんです」

そこまできくと、ナオミは茶色い目を見開きながら思い出したように呟いた。

「祇園祭は確か、秦氏(はたうじ)と縁の深い祭り――。このあと、秦氏の木嶋(このしま)神社に行きませんか」

シストラ

「あれはもう何年前のことになるかしら――」

木嶋神社へ向かうタクシーのなか、賢司の質問に、ナオミがおもむろに窓の外の空気を見始めた。秦氏に興味を持つきっかけとなったという不思議な旅行について、感慨深そうに語りだした。

「当時、私は大学で歴史を専攻していて日本に留学していたんですよ。いえ、東洋史を勉強していただけで、特に神道に興味があったわけではないですけど。で、そのとき同じゼミで仲が良かったのが伊勢神宮を辞めて大学に復学していた清美(きよみ)で、私たち在学中、一緒にシルクロードを旅行したんです――」

二人がキルギスのイシク・クル湖の湖畔に立ったのは、二〇〇四年九月のことである。標高千六百メートル。すでに肌寒い秋風が吹き始めていた。

美しい湖だ――。碧色(へきしょく)の湖面がほのかに煌(きら)めいている。対岸には頭を白くした天山(てんざん)山脈の山々が、立ちはだかるようにそびえ立っていた。

キルギスの真珠。古書に熱湖と記された謎の不凍湖。十万年以上存在している世界にも数少ない古代湖。ガイドブックのそうした描写が、一つひとつナオミを魅了していた。

「本当にイシク・クル湖って神秘の湖ね」

ここに来るきっかけとなった清美の最初の言葉を、ナオミは思い出した。

事実、旧ソ連時代、この湖は魚雷の試験場だったため、外国人の立ち入りが長い間禁じられていたことがある。世界中からほとんど忘れ去られた謎の湖だったのだ。清美がこの湖に興味を持ったきっかけは、『西(せい)

イシク・クル湖

域物語』を著した井上靖がこの湖の姿をどうしても見たいと熱望するも、終生かなわなかったという記事に関心を寄せたことだといっていた。

まさに、謎が二人をこの湖に導いたのであった。

二人はやっと会えた旧知の友を愛でるように水辺を散策すると、今度は導かれるように湖上に突き出す浮き桟橋の先端に立った。

ターコイズ色に揺らめく湖面に視線を落とし、その先を覗くように見透かしてみる。

きれいだ——。天山山脈の雪解け水は澄みきっていた。バイカル湖に次ぐ世界二位の透明度というのも納得できる。二人は無言のまま目を凝らした——。

実は、二人が引きつけられた本当の理由はここにあった——湖底には幾多の遺跡が眠っているのである。イシク・クル湖には百十八もの川が流れ込んでいるが、流れ出る川は一つもない。ここに水が溜まり始めた日以来、湖面が上がり続けているのだ。水は歴史のなかで、多くの街を呑み込んでいった。

最も古い遺跡は湖底に眠る二千五百年前の街跡だ。その住民が誰かはいまだ謎のままだが、湖底にはスキタイや烏孫など謎の部族の遺跡が沈んでいることがわかっている。何せ、琵琶湖の九倍もある巨大な面積だ。数多の民族が住んでいたに違いない。

「この下にユーラシア大陸の謎が眠っていると思うと、本当にロマンチックね」

ナオミの口からは自然とそんな言葉が洩れた。

その言葉のように、キルギスはユーラシア大陸のクロスロードともいえる場所にあった。

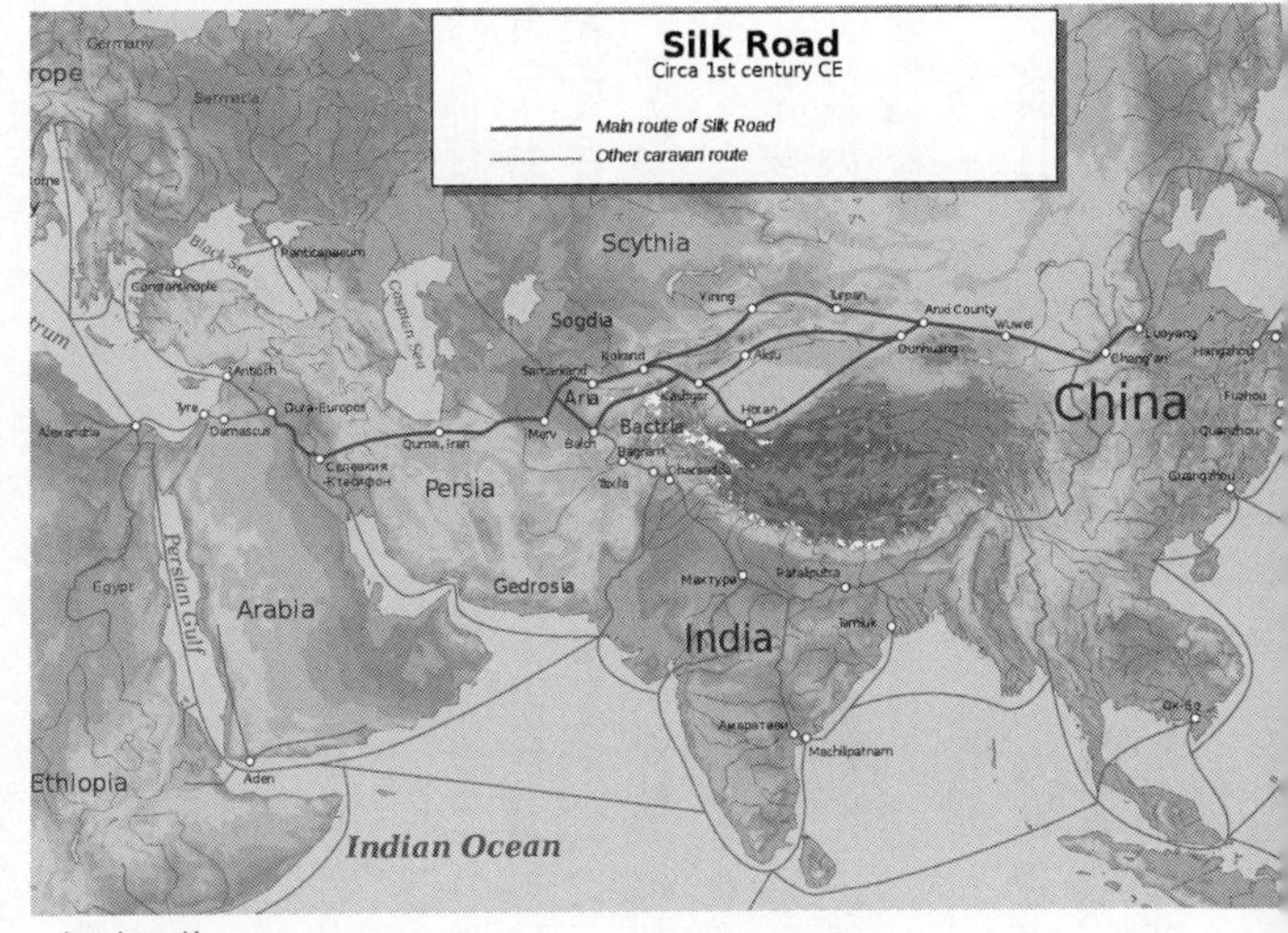

シルクロード

シルクロードは、現在のトルコのアンティオキアを出発すると、ほぼ一本道で東進し、中国と国境を接するキルギスに入る。ここでタクラマカン砂漠をどのように迂回するかで西域南道、天山南路、天山北路の三つのルートに分かれるからだ。

ここを通って中国に入り、ここを通って本国に帰る——太古の昔からキルギスはさまざまな民族、宗教、文化、商品の交差点だったのである。

物思いにふけりながら、二人は時がたつのもつい忘れていた。

しかし、どこまでも蒼い水が揺れ動くだけ。何も見えてこない——だがナオミは、悠久の歴史のロマンを直に自分の目で探れるその瞬間に満足しきっていた。

しばらくして日が暮れ始めると、二人は後ろ髪を引かれる思いで宿泊するホテルに向かった。

「ガスティニーツァ?」

建物のなかに入ると、ナオミはフロントの中年女性に向かって知っている数少ないロシア語で、ホテル? ときいた。

女性は人なつっこそうな笑顔で頭をコクリとしたが、英語がまったくダメなようだ。ロシア語で何かをいったが、二人が何も理解できないとわかると、両手でここで待つようにと合図しながら奥の部屋に消えていった。

間もなく、英語を多少話せる若い女性が現れた。いまはオフシーズンのため、部屋はいくらでも空いているという。二人はツインの部屋を頼むとパスポートを手渡した。

「オーッ、日本人ですか?」

清美のパスポートを、あたかも貴重品でも値踏みするように繁々(しげしげ)と観察しながら若い女性が微笑(ほほえ)んだ。

「え、ええ……」きょとんとこたえる清美。

女性は振り返ってさっきの中年の女性にロシア語で何かを話すと、中年女性は、「イッポンカ（日本人）、イッポンカ」と笑みで眼を細くした。

清美は取り繕ったような笑いを返していたが、勘の鋭いナオミは、その光景に何か不思議なものを感じていた。それは、人なつっこいキルギス人の性格でも、単なる親日国という言葉でも語り尽くせない何かだった。

そういえばさっき立ち寄ったルフ・オルドという公園でも、同じようなことがあった。そこにはユダヤ教、キリスト教、ロシア正教、イスラム教、仏教の五大宗教をかたどるダビデの星、十字架、八端（はったん）十字架、三日月、相輪を冠した建物に囲まれた不思議な広場

ルフ・オルド公園に点在するさまざまな宗教のシンボル（撮影：中尾征生）

があった。

キルギスで神仏習合？

宗教の交差点ともいえるキルギスらしいと感心していると、現地の人が、どこから来たのかと片言英語でひっきりなしに尋ねてくる。最初は随分気さくな国民性だなと感心していたが、清美が日本人とわかったときの喜びぶりはナオミの目には不自然にさえ映った。

「清美、あなた随分と人気者ね！」

「戦後、シベリア抑留された日本兵のうち百数十名がキルギスに来て真面目に働いたから、日本人が信頼されているときいたことがあるわ」

もっともらしい清美の説明も、ナオミにはどこか説得力に欠けているように思えていた。

中年の女性がフロントの向こうで、清美と自分を指で交互に指しながらさっきより大きな声でいった。

「シストラ！　シストラ！」

指令書

レンタカーは、東名高速の下り追い越し車線を突っ走っていた。

ギンギンに冷やされた空気が、ベントから吹きつけている。そのゴーッという安っぽい音をききながら、ヴォルターは命令を受け取った振動パターンをポケットに感じ取った。

命令は、いつも専用ファックス・アプリに来る。デジタルの電話やメールと比較して、アナログのファックスのほうが盗聴されにくいからだ。

右手でハンドルを握りながら左手でスマートフォンを取り出し、カメラを覗き込んで両目の虹彩認証を済ませる。すると認証マークが出てきた。次に左腿の上に置き、五秒以内に八桁の暗証コードを入力すると、スッとアプリは起ち上がったが、ファイルはまだセキュリティがかかっていた。ヴォルターは、身をよじりながら後ろポケットから暗号カードを取り出した。画面には、五秒ごとに入れ替わる四桁のリアルタイム・パスワードが点滅している。前方を気にしながら、左手で腿の上のスマートフォンに四桁の数値を入力した。

しばらく、スマートフォンが大使館とやりとりをしている。何事もなかったように、ぱっとファイルが開いた。予想通り、ファイルは指令書だった。

一枚目には、二回目の作戦に失敗し、神の絵を確保できなかったことが書かれていた。ハンドルを握るヴォルターの眉の皺がさらに深くなる。

だとすると、一体、神の絵はいまどこにあるんだ？

確かあの日――、海部宮司はラビ・コーヘンとアブラハム・ヘルマンと会い、その後、小包を賢司に送った。しかし、そのどちらも神の絵は持っていなかった。

ということは、やはり、あいつだ――。

しばらく考えると、ヴォルターは思わずほくそ笑んだ。

最も怪しいのは、やはり、娘のナオミだ――。

いや、そうに違いない。賢司だとしたら友人にも他人にも渡すわけないし、ヘラー氏は数日前に東京に来たばかりだ――。

これからどうやってあの女を料理しようか。いずれにしろ女一匹、チョロいもんだ――。

そう考えると、ヴォルターは内心ホッとした。もう少しでこの手柄がほかの奴に行くところだった。いままで一体どれだけ苦労して、ここまでたどり着いたんだ――。

どこの馬の骨かも知らない奴なんかに、これだけは絶対に譲るわけにはいかん――。

シストラ?

清美は一瞬ポカンとしていたが、咄嗟(とっさ)に「スパシーバ(ありがとう)、スパシーバ」と貼りつけたような笑みでこたえ、なんとかチェックインを済ませた。

部屋に向かう途中、誰もいない静かな廊下でナオミはたまらず尋ねた。

「ねぇ、さっきの女性、一体、なんていっていたの?」

清美はニッとした横目をナオミに返すと、一気に吹き出した。

「全然、意味不明よ――」

その晩ナオミと清美は、ホテル近隣のレストランを教えてもらい食事に出た。

表には「カフェ」と書かれている。旧ソ連時代から「レストラン」は生バンドの演奏があるような高級レストランを指し、「カフェ」が一般的なレストランなのだそうだ。

なかは意外とこぎれいだった。だだっ広い部屋にパイン材のテーブルが整然と並べられている。壁にはおしゃれなピンク色の壁紙が貼ってあり、ビニール製だがテーブルクロスもある。イシク・クル湖が夏の間、裕福な人も来る観光地となることをナオミは思い出した。

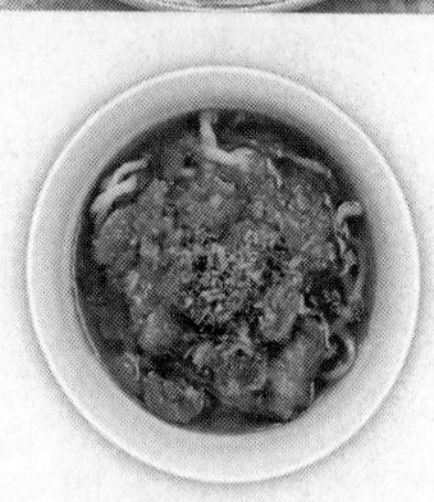

ラグマン（写真提供　上:水芭蕉 / CC-BY-SA-3.0、下:Kim Sergey/ CC-BY-SA-3.0）

清美はキルギスの代表的料理、馬肉ソーセージを頼んだ。ナオミは昨晩食した中央アジア風麺料理のラグマンが美味（おい）しかったので、また注文した。

しかしここのラグマンは、ビシュケクで食べたスパゲッティー・ミートソースのような食べ物とは異なり、中国風のスープ入りうどんのようなものがでてきた。ここが昨日より中国寄りの地だからだろうか。

「まるで関東と関西料理の境目の名古屋みたいね」

ナオミは、さまざまな人種・文化・宗教が交差したキルギスを味覚で感じながら、そのまずまずの〝うどん〟を食した。

最後のスープを飲み干し、ついフーッとひと息洩らした時だった。突然、隣のテーブルで食事をしていた老夫婦が英語で話しかけてきた。

「一緒にキルギスのお酒でも飲みませんか？」

この地でよく見た人なつっこい笑顔で、夫のほうがボトルを持ち上げている。

少々戸惑ったが、今朝ビシュケクからのマルシュルートカ（乗り合いバス）で一緒だった二人とわかり、つい気を許した。

老夫婦はこちらのテーブルに座ると、夫が得意げにドンとボトルを差し出した。

「これは二人とも飲んだことはないはずですよ」

確かにキルギス産のコニャックは飲んだことはなかった。いや、きいたこともない。しかも飲み方が一風変わっていて、ショットで飲み、レモンを一緒に齧(かじ)るのだそうだ。塩こそ舐(な)めないが、まるでテキーラだ。二人は確かにこれは初めてといいながら一気に飲み干すと、その場は大いに盛り上がった。

宴もたけなわになってきたころ、老夫がレモンにかぶりつきながらきいてきた。

「ところでお二人はどちらから?」

ナオミがイスラエルと伝えたときは大した反応はなかったが、清美が日本とこたえると老妻のほうがいきなり顔色を変えた。

「シストラ、シストラ!」

さっき、フロントの中年女性が叫んでいた言葉だ。

口をあんぐりさせていると、夫のほうがシストラとはロシア語で姉妹のことと説明してくれたが、まだ意図がわからない。

すると今度はまるで当然のことを話すように、こざっぱりした口調でつけ加えた。

「日本人とキルギス人は兄弟なんですよ」

はっ? 二人はなんとか面食らった表情をキープしていたが、ついニヤリとしてしまった。

「どういうことですか？」と、とりあえず清美がごまかすが、老夫はこたえた。

「キルギスには『大昔、キルギス人と日本人は兄弟だったけど、肉が好きなものはキルギス人になり、魚が好きなものは東に行って日本人になった』という伝説があるんです」

引き締まった顔でいわれた奇想天外なトンデモ話に、ナオミは思わず拍子抜けしてしまう。清美も、どういう反応をすればいいのか決めきれないようだった。

「マナスという、世界で最も長い詞としてギネスブックにも認定されている叙事詩に出てきます。私たち普通のキルギス人は、みんな普通に信じているんですよ」

ナオミは、それはいくら何でも、といいかけたが思いとどまった。

だが、信じられないという表情はさすがに隠しきれない――キルギス人がとても親日的なのは、このためなのだろうか。

すると老夫は、その不信を覆すように二人を澄んだ目で見つめながらいったのだった。

「ここから北東に行ったクルジャという街の近くに、ヤマトという場所があるんですよ――」

殺しのお墨つき

ヴォルターはふと我に返ると、ところどころ油でぎとつくスマートフォンの画面を、ごつい中指でズルッとスワイプした。

鋭い目で、崩れた手書きの文章を斜めに読む。そこには賢司、ヘラー元大使、ラビ・コーヘンの娘の三人が剣山へ向かうことが記されていた。

剣山だと？　ヴォルターは鼻をフンと小さく鳴らした。

宝のありかに、わざわざ獲物のほうから案内書を持って来てくるなんて、まったく手が省けるじゃないか――。ゆがんだ唇に薄ら笑いが洩れる。

ヴォルターはまたスワイプした。剣山の地図だが、注意事項が太字で大きく書かれていた。

〝武器は何を使用しても構わないが、ユダヤ人二人は何があっても殺害しないこと〟

ん？――　その文に、ヴォルターは一抹の不安を覚えた。だとすると――、

奴ら二人が、俺の真の顔を見たあとにも生き続ける初めての奴となる――。

だが、考え直した。まあ、いい。日を改めて、適当に処理するか。

しかし、ということは、もう一人のアメリカ人は殺ってもいいということか？

再びニタリと頬を歪めた。

ヤマト

老夫婦から不思議な話をきいた数日後、ナオミは清美とクルジャ市に入った。

市は当時、中国との国境を僅かに越えた新疆ウイグル自治区にあったため、正式名は

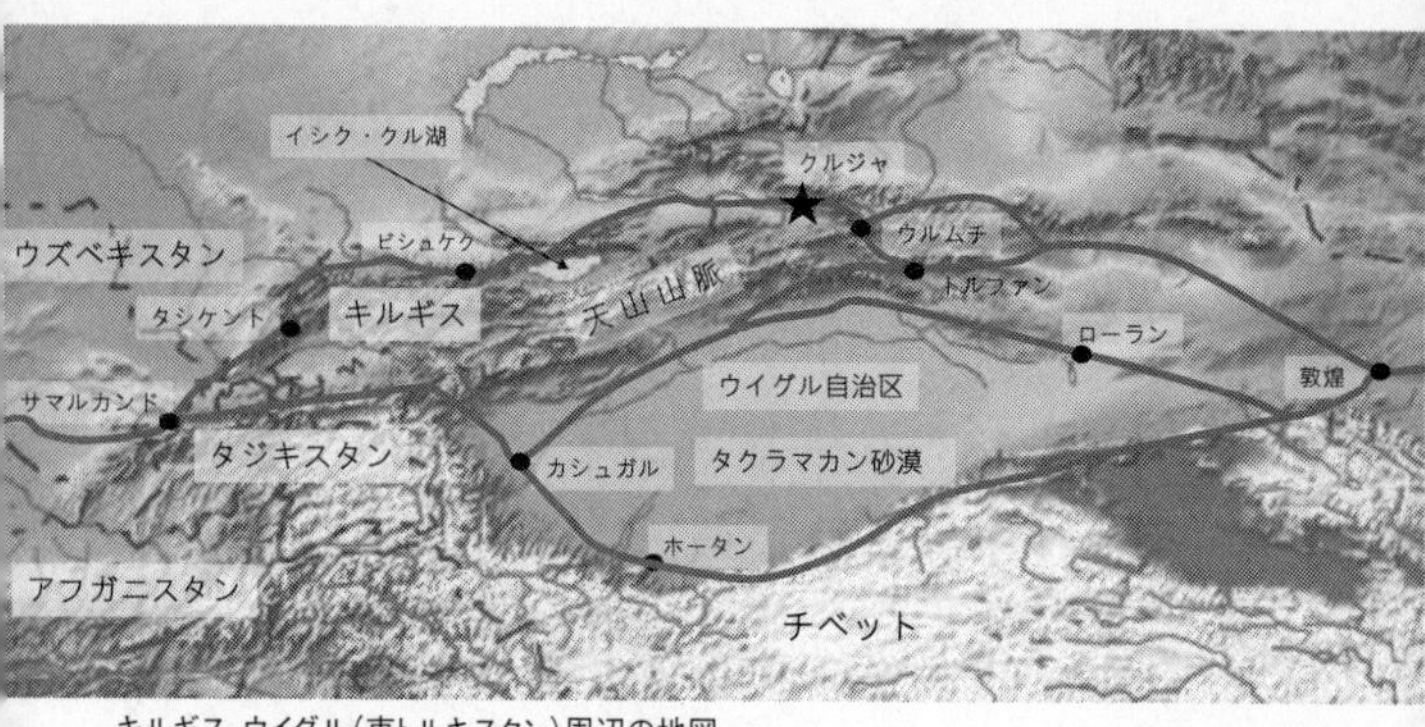

キルギス、ウイグル（東トルキスタン）周辺の地図

伊寧（イーニン）市と改名されていた。街の中心地にはビルが建ち並び、あちらこちらで削岩機の音が鳴り響いている。昔、シルクロードの写真集で見たのどかな草原風景とは大違いだとナオミは思った。

ナオミが感慨深そうにいった。

「やっぱり漢民族がこの地域にも大分勢力を伸ばしているようね」

中国の資源は西にある。しかもこの地域は、さらに資源豊富な中央アジアと接している。ウイグルとチベットは中国の安全保障の要であり、中国共産党を支配する漢民族にとっても譲れない地域だった。

それを誇示するように新しいビルの看板は漢字で書かれている。一方、古い看板はみなウイグル語だ。そのコントラストは、ナオミには地域の発展とも漢民族の侵略とも見えた。

二人は老夫婦からもらった情報をもとに、伊寧市の中心地から乗り合いバスに乗った。省道二二〇号を南東に五十キロほど走り、イリ川に架かる橋を渡ったところで降りた。

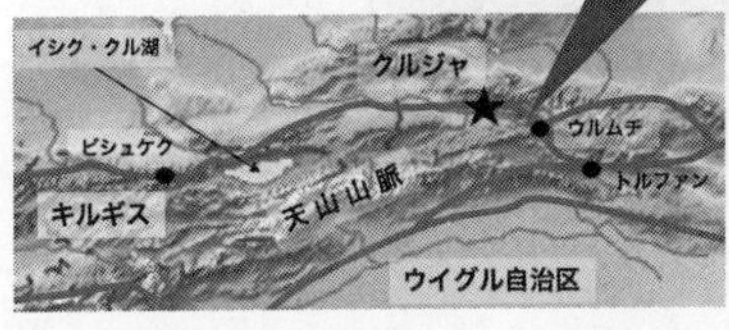

一面、パノラマ写真のようなのどかな田園風景だった。

川の両岸には肥沃な耕作地がひろがっている。トウモロコシ、リンゴ、ぶどう畑が見える。稲作も行われているようだ。田畑や道路沿いには防風林としてポプラ並木が植えられていて、まるで北海道の農村を旅しているような錯覚さえした。

橋の近くに野馬渡（ヤマト）と書いてある古びた標識を見つけた。地図を見ると、雅馬図（ヤマト）と書いてある。乗り合いバスの運転手には「ヤマト」の発音で通じたので、漢字はどうやら二つとも当て字なのだろう。

イリ川

「下雅馬図路」と書かれた道路標識
（撮影：堀井俊男）

ナオミが桟橋にカメラを置き、野馬渡と書かれた標識をバックに写すためセルフタイマーをセットしていたときだった。

「そこから写真を撮ると、警察と面倒なことになりますよ」

男が話す英語の声だった。ナオミはヘブライ語のアクセントに気づいた。

振り返ると、ラフな格好でリュックを担いだ初老の白人男性が、軽い微笑を目尻に浮かべながらこちらに歩いてくる。耳下から伸びる真っ白のアゴヒゲに目が最初いったが、ベージュのポークパイハットの下に見える眉毛にも白いものが混ざっていた。

「あちらの鞏留県（ゴンリュウケン）には人民解放軍の軍事施設があるようで。ここからそちらの方角にカメラを向けると警察に通報されるそうです」

男性はそういうと、自己紹介をした。

「いや、失礼。私はアブラハム・ヘルマンといいまして、イスラエルのアミシャブという調査機関で失われた十支族の調査を行っているものです」

失われた十支族？　ナオミは耳を疑ったが、とりあえず自己紹介をすると、

「失われた十支族が、こんなところにいるんですか？」と待ちきれない様子できいた。

「この雅馬図にいるかどうかはまだ調査中ですが、すぐ西のウズベキスタンには、ウズベク・ユダヤ人という人たちがいます。それにユーラシア大陸にも沢山——」

ナオミという名から彼女がユダヤ人と気づいたのか、ヘルマンはリュックから地図を取り出してみせた。

「この赤い点がユダヤ人が発見されているところです」

「え？　こんなにも？」

思わずナオミは洩らした。ユダヤ人の自分でさえ、こんな話はきいたことがなかった。ユーラシア大陸の地図にはシルクロードが記されていて、その周辺に赤いマークが点

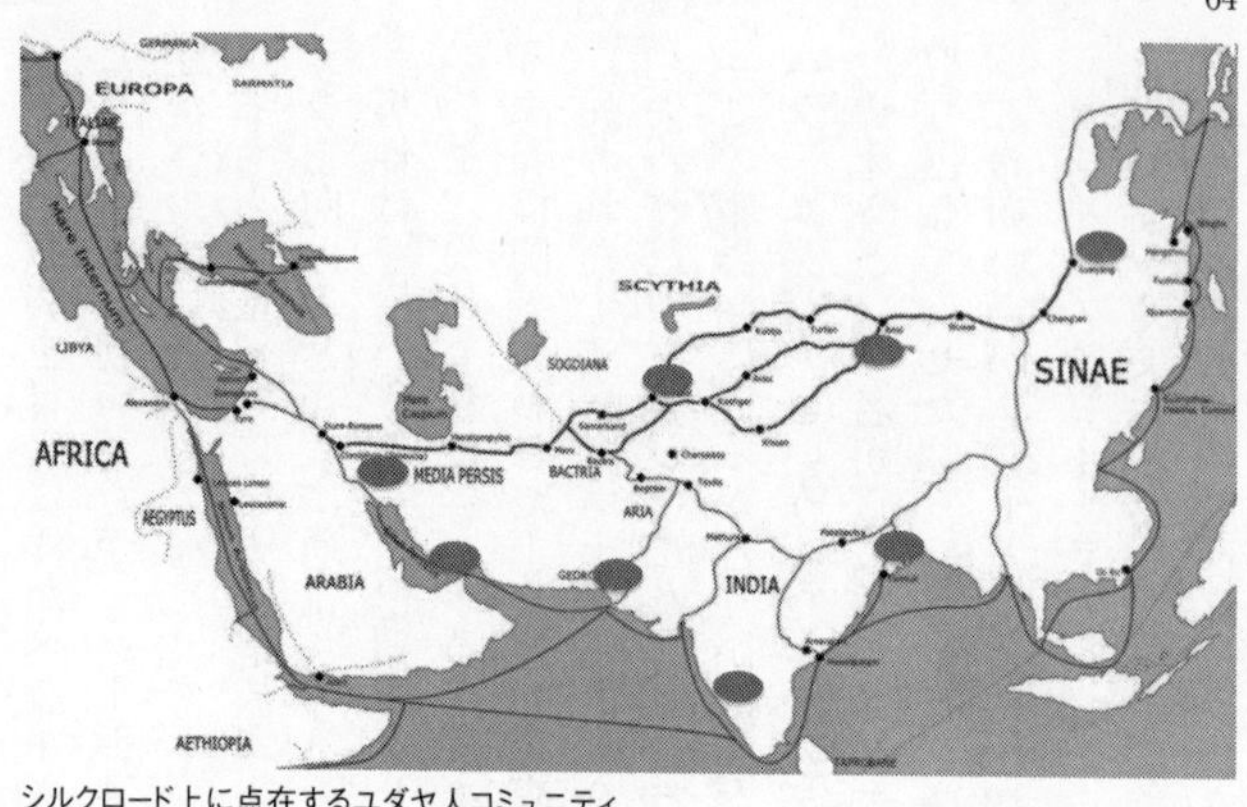

シルクロード上に点在するユダヤ人コミュニティ

在している。そのなかの一つひとつに民族名が記されていた。

　アフガニスタンとパキスタンとの国境地域のユスフザイ。パキスタン、アフガニスタン、イラン、インドのパタン人（パシュトゥーン人）。それからダビデ王の時代から商人として中央アジアに住み、失われた十支族と合流したともいわれるブハラ・ユダヤ人。さらに東に行ったところのカシミール人。インドのカナン人とベネ・イスラエル人。ミャンマーの国境付近のシンルン族。タイ北西部からミャンマーにかけて住むカレン族。中国四川省のチャン族――。

　瞠目するナオミにヘルマンは、「これらはすべてユダヤ人です。その最東端は日本のすぐ西、中国河南省の開封に大きなユダヤ人コミュニティがあり、紀元前三世紀のヘブライ語の碑が発見されているんですよ」

　と熱を込めていった。

ダビデ王の時代(紀元前十世紀)から商人として中央アジアに住み、失われた十支族と合流したともいわれるブハラ・ユダヤ人の子孫

パシュトゥーン人の男性(写真提供:Mark O'Donald / CC-BY-SA-2.0)

インドに住むベネ・イスラエル人

チャン族の女性

中国・開封のユダヤ人

「えっ、ということは――、まさか日本にも？」

戸惑う清美にもヘルマンは硬くしっかりした表情でこたえた。

「すでに奈良時代には、破斯清道（はしのきよみち）という名のペルシャ人が奈良の都で役人として働いていたというのは史実です。そのことを明示した木簡が奈良から発見されているんですよ。〝はし〟とはペルシャの漢名から日本語になった国名です。当時、ペルシャには国を失ったユダヤ人が沢山住んでいて、彼らはペルシャから日本に渡来した人たちということで、〝はし（ペルシャ人）〟と呼ばれていたかもしれません。キリスト教を日本に伝えたとされるイエズス会のザビエルもスペイン人ということになっていますが、民族的にはユダヤ人でしたので、もしかしたら破斯清道も民族的にはユダヤ人だった可能性も十分にあると思いますね」

役人として働いていた？

啞然としている二人をよそに、ヘルマンはさらに力

平城京にペルシャ人の役人がいたことを示す木簡（画像提供：奈良文化財研究所）

を込めて説明する。

「約二千年前に生きていたユダヤ人歴史家フラウィウス・ヨセフスは、〝ユダヤ古代誌〟という本のなかで『イスラエルの十支族は、いまでもユーフラテスの彼方(かなた)におり、数えきれないほど膨大な民衆となっている』と記しているんです。彼らはその後、ユーラシア大陸と歴史のなかに消えていったんですよ」

少し考えたあと、ナオミは驚嘆の眼差しを地図からヘルマンにぐっと向けた。

フラウィウス・ヨセフス

「しかし先ほどの地域の人々が、本当に失われた十支族だという証拠はあるのでしょうか？」
「ええ、いろいろなケースがありますが主に宗教、生活習慣、先祖からの言い伝えなどですね。例えば、ユスフザイとはそもそも〝ヨセフ（ヤコブの子）の子孫〟という意味ですし、彼ら自身、自分たちは失われた十支族だったという意識があります。安息日、耳の横の髪を円くカールするペイオト、衣服につける房など、生活習慣上の多くの裏づけもあります。またパタン人は、いまではイスラム教に改宗していますが、もともとユダヤ人だったという意識もありますし、生まれて八日目の割礼、衣服の房、コシェルと呼ばれるユダヤ人の食物規定、イスラエル人と同じ名前、大贖罪日（ヨム・キプール）の習慣などなど……きりがありません」

二人は色を失っていた。東洋史を勉強してきた二人にもこんな話は初耳だった。

ヘルマンが沈黙を破った。

「あと、シルクロードを考えるうえで重要なのは、このシルクロード以外にもいくつかルートがあったということですね」

そういいながらヘルマンはユーラシア大陸の地図上で、モンゴルの東に位置する大興安嶺（だいこうあんれい）山脈からモンゴル、ウイグル、カザフスタン、ロシアを抜けて、ヨーロッパへと繋がる地域をなぞった。

「このルートは主にモンゴル人が馬で走っていた草原のハイウェーです。チンギス・ハンもこのルートでポーランドまで攻め込んだし、突厥（とっけつ）なんかも走り回っていました」

ナオミはハッとして地図を凝視する。

なるほど。確かにこのルートは、有名なシルクロードの陰で見落とされがちだ。真っ平らな草原を馬で疾走していたのだから、移動速度も格段に速かったに違いない。

最初の島

「もう一つ重要なのは、紀元一世紀頃にはすでに海上ルートが開拓されていたことです」

ヘルマンは得意げにそういうと、今度は海上ルートを指でなぞりながら続ける。

「当時、すでにシリアのアンティオキアからサウジアラビアのジッダへと砂漠を南下し、紅海、アラビア海を通ってインド南部に寄ったあと、マラッカ海峡を経由して中国の管理下にあったベトナム・ハノイ近辺の交趾郡へと抜けるルートが確立されていました。そして南シナ海では、ベトナムの交趾郡から海南島に渡り、台湾海峡の福州に寄って南京に到達するルートは取引が盛んだったルートです」

ナオミには、ここまで航海技術やルートが確立されていれば、台湾からさらに日本へ行くことが大きなリスクをともなう冒険だったとはとても思えなかった。海は決して大きな障壁でなかったはずだ。

ナオミは思い出した。まだ日本の歴史が始まる前、ソロモン王の時代、すでにユダヤ人たちはタルシン船でインドと貿易をしていたことを。ヘブライ語の猿、象牙の語源はサンスクリット語だし、孔雀もタミール語が語源だ。

が、いま一つ証拠が欲しい。

「実際、このルートでユダヤ人が日本に来たという証拠はあるんでしょうか?」

ヘルマンは、〝待ってました〟といわんばかりに大きく頷くと、おもむろに背中のリュックから使い古した黒革の聖書

'Ships of Tarshish' (1 Kings 10:22)

ソロモン王時代のタルシン船

を取り出した。

「それが沖縄には実に興味深い風習があるんですよ……。『そこでモーゼはイスラエルの長老をみな呼び寄せていった、〝あなたがたは急いで家族ごとに一つの小羊を取り、その過越の獣を屠らなければならない。また一束のヒソプを取って鉢の血に浸し、鉢の血を、鴨居と入口の二つの柱につけなければならない。朝まであなたがたは、ひとりも家の戸の外に出てはならない〟』……出エジプト記十二の二十一―二十二」

思いがけない一節に、ナオミは驚きを隠さず叫んだ。

「えっ？　過越の祭りですか？」

過越の祭り――。

それは、聖書のなかでもとりわけ重要な説話にも基づいた古代からの祭りだった。

当時エジプトで奴隷の身だったヘブライ人は神の預言に従い、モーゼについて約束の地カナンに向け脱出しようとする。ところがファラオが妨害し神の怒りをかったため、ファラオの息子を含むすべてのエジプト人の初子が無差別に殺害されてしまう。しかしヘブライ人だけが預言に従い、ヒソプで鴨居と柱に子羊の血を塗っていたために災いを受けなかったという所記であった。

ヘルマンも戸惑いの表情をナオミに向ける。

「そうなんですよ……信じられないことに。沖縄から奄美に伝わる看過牛という厄除けの風習なんですが、牛を殺してその血をススキや桑の葉などに浸し、家の入口の柱や鴨居に塗るという古来より伝わるものなんです」

「過越の祭り、そのままじゃないですか！」

ふいに出た言葉だが、あっという間にその驚きがナオミの胸に広がった。厄除けのために鴨居に動物の血を塗る祭りが、二カ所で偶然に起こりうるか？

そんなこと、あり得るはずはない。ナオミはもう一度地図に目をやった——イスラエルと沖縄はこんなにも離れているのだ。

「私も初めてきいたときには本当にビックリしましたよ。でも、まぎれもない事実なんです。しかも沖縄の類似点はそれだけではない。例えば入口をしっくいで塗って仕上げる横穴式のお墓。それに現在は沖縄では豚は食べますが、昔の神職は豚は汚れた動物として食べなかったことなど、ユダヤ人の習慣と数々の類似点があるんです」

ナオミは恐る恐るきいた。

「で、沖縄から、日本本土に？」

「ええ。そもそも沖縄からは東北地方の縄文土器も発見されていますし、世界で三番目に大きな黒潮に乗れば、日本本土はもうすぐそこです。実際、その傍証が日本神話に記

エジプトで鴨居に羊の血を塗るヘブライ人
(Jim Padgett/ CC-BY-SA-3.0)

されているんですよ」

「えっ、日本神話に？」

意外な言葉に思わず驚きの声が出た。

「日本神話では、まずイザナギとイザナミという男女の神々が日本列島を生むことから日本が始まります。『国生み』という神話です。しかし、その生む順番が実に奇妙なんですよ。最初は淡路島。次に四国と続き、最後の八番目でやっと本州です。私はこの順番の意味を何人もの日本人研究家に尋ねましたが、誰一人納得できる答えを提供できませんでした」

イザナギとイザナミの国生み

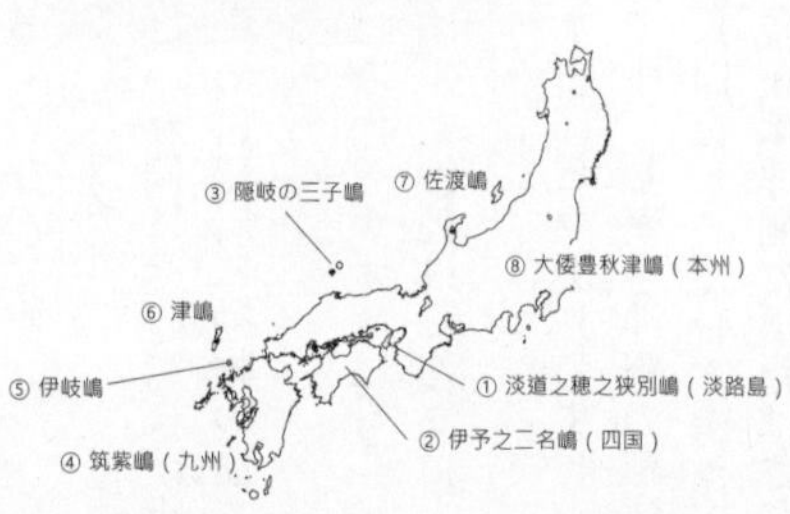

国生み神話の順序

確かに、それにはナオミも同意せざるを得なかった。以前からナオミ自身、日本の国生み神話の順番に不自然さを感じていたからだ。なにせ最初の島が歴史的にも文化的にもまったくといっていいほど意味のない淡路島である――。

地形から見て、朝鮮半島と最も近い対馬（つしま）や九州ならまだしも、どう考えたって朝鮮半島を出た人たちが最初に行き着く島が淡路島であるはずがない。一方で、古代の人間が意味のない国生みの順番を、国の始まりという重要な神話とするとは到底思えなかった。

「でも日本の海流図を見て、その謎が解けました」

ヘルマンはそういうと、リュックから今度は日本近海の海流図を取り出した。

「沖縄を出航した船団は黒潮に乗り日本本土に向かった。このとき、一部は対馬海流に乗って日本海側に出たかもしれませんが、本隊は太平洋側に出た。で、この紀伊半島のところを見てください。南に出っ張っているでしょ？　実は黒潮はここに当たり、一部は瀬戸内海に流れ込んで淡路島の南端を直撃するのです。ですから、ここ鳴門（なると）海峡は日本最速の潮流なんですよ」

「本当ですか？」

ナオミは狼狽（ろうばい）したようにヘルマンをぐっと見たが、

日本近海の海流

これこそが淡路島を最初の島とした理由を納得させることができる唯一の説明のような予感がしていた。

「ええ。私は興奮して国生み神話を読み返しました。そうしたら実はイザナギとイザナミは、淡路島を生むまえ、オノコロ島という〝国生みをするための島〟を生んでいることに気づきました。私は地図を探しましたが、残念ながらオノコロ島という名の島は現在、瀬戸内海どころか日本中に一つもありません。で、何気なくもう一度、淡路島の地図を見てみたんです。すると、淡路島の南端に小さな沼島（ぬしま）という島があるではありませんか」

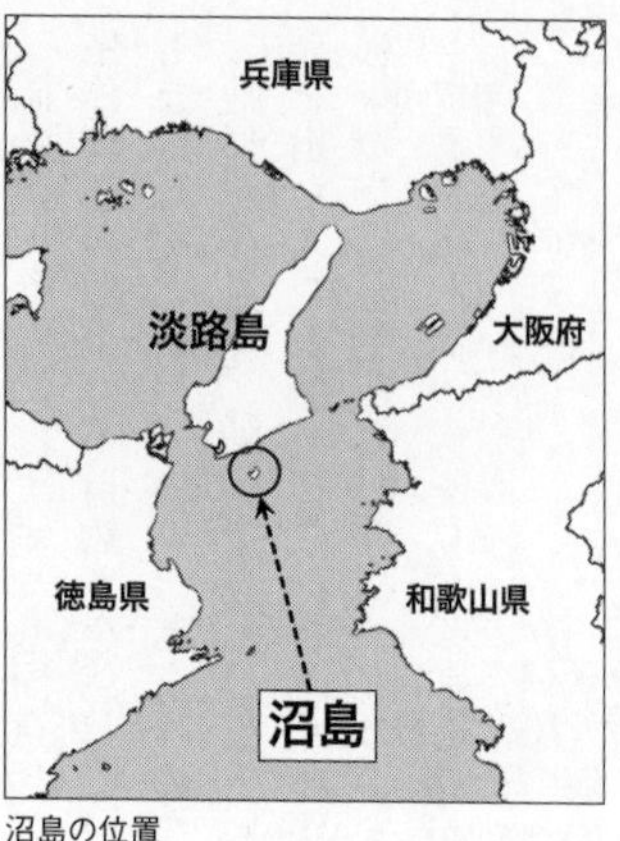

沼島の位置

ヘルマンは淡路島周辺の地図を出しながら続ける。

「私は、国生みの形跡がないか、その島の地図をくまなく探しました。するとどうでしょう、山の上に『おのころ島神社』があり、主祭神がイザナギとイザナミだったのです！」

「本当ですか？」

ナオミはまた同じ言葉を発したが、狼狽してそれ以外の言葉が思い当たらなかった。

「はい。島の南西、唯一山がなく上陸可能な

沼島のおのころ神社（おのころ島神社）（写真提供:©国土交通省国土画像情報（カラー航空写真））

沼島の天の御柱（写真提供:Pinqui / CC-BY-SA-3.0）

箇所には、同じように国生み神話にでてくる天の御柱（あめのみはしら）という岩が印のように残っていました」

ナオミはもう一度、地図をまじまじと見つめてみた。

南から来た船団が日本に上陸するとき、最初に考えることはまず身の安全だろう。どんな人間がいるのかわからない。ましてや言葉も通じない。となれば、敵に囲まれないように小さな島に上陸するに違いない。

まず沼島に上陸して船旅の疲れを癒やしながら、おのころ島神社がある山頂から淡路島を偵察し、安全を確認して淡路島に上陸。そこである程度生活の基盤をつくると、次は四国で生活基盤をつくった。そして最後に船団で分かれ日本海側の地域にたどり着い

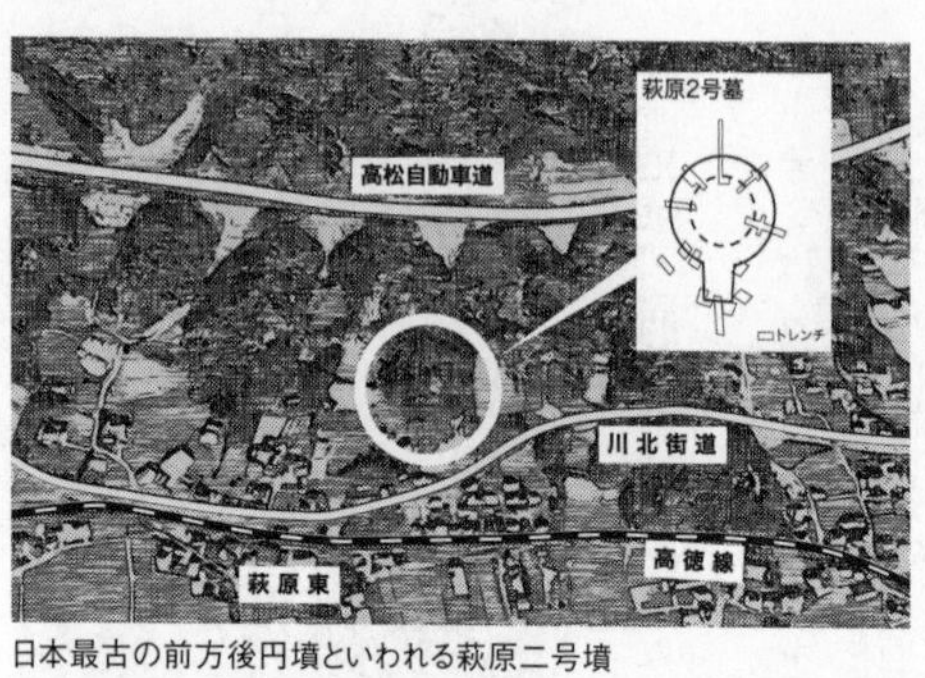

日本最古の前方後円墳といわれる萩原二号墳

たグループとも合流しながら時を見計らって本州に上陸し、王権を確立した——。

ナオミには、これが一番無理のない理由に思えた。

ただ、あまりにもうまくいきすぎる話にも思えてきた。

「確かにそれが正しければ、最初に淡路島で、最後に本州という国生みの不可解な順番も説明できるような気がします。ただ、それを裏づけるものって何かあるのでしょうか?」

「ええ、山ほどあります。まず考古学的には、日本最古の前方後円墳は徳島県にある三世紀の萩原墳墓群です。おまけに、前期のヤマト地方の前方後円墳は構造的に徳島県のものを雑につくったような劣化版で、しかも同県から採取された青石が使われているのです。

それから神道的にも十世紀に編纂された日本全国の神社三千社を記載した『延喜式神名帳』という、いわば神社の公式リストのような重要な資料がありますが、このなかに記載されている五十の徳島県の神社のうち、十九社が古事記に出てくる神名を社名としています。これは他県と比べて圧倒的に多い。ヤマトのある奈良県では三社だけ、出雲のある島根県にいたってはゼロです。しかもイザナミの名を社名に冠して祀っている神社は、全国で四国にしかありません。国生みをしたイザナミですよ？
それに徳島県は、天皇家の重要な大嘗祭という祭祀に携わってきた阿波忌部氏が三世紀から住み続けている場所でもあるのです。
私はそれをきいたとき、ヤッパリと思ってさらに証拠を探しました。すると、徳島と海を挟んだ反対側の和歌山県の地図で面白い共通点を発見しました。両県にある吉野川をはじめ、ざっと見ただけでも十五、六の同じ地名があるんですよ。世界中に行ったイギリス人がよくやったでしょう？　新天地で自国と同じ地名を付けるのって」

そういってヘルマンが両県の同じ地名が記載された地図を取り出すと、ナオミはそれを舐め回すように見入った。

「これって――」

ナオミはいわなかったが、偶然といえば、偶然であり得ないこともないように思えた。

しかしヘルマンはそれさえも否定した。

「実は徳島県はヤマト（大和、倭）という名字を持つ人が突出して多く、阿波忌部氏の現当主の三木氏が公言しているんですよ。ヤマトの王権はもともと四国にいた勢力だと。そして実際、日本国内における渡来系遺伝子成分の分布も、その主張に見事に合致しているんです――」

いいながら今度は渡来人のゲノム成分比率が、北九州ではなく、四国と近畿地方で高いことを示す地図を見せつける。
その瞬間、ナオミには、海のシルクロードが本当に日本に繋がったような気さえした。
目も虚ろに、シルクロード沿いに散在する赤いマークに視線を戻すナオミ――。

徳島県と和歌山県の同じ地名

大嘗祭用大麻の成長を祈願する阿波忌部氏の三木信夫氏（画像提供:共同通信社）

（東京大学大学院理学系研究科・理学部　大橋順准教授らの研究結果による）

すると、正直、思えてきた。この地図にあと一つ赤いマークがあってもまったく不思議でないと。いや、むしろ、あったほうが自然だと——このシルクロードの終点、つまり日本にだ。

この地図はそれを物語っている。そんな気がしてならなかった。

するとヘルマンは、

「ところで、ここから五十キロほどのところにある弓月城跡にはもう行かれましたか？」

と切り出すと、弓月君の民が日本に着いてからたどった驚愕の歴史を語り、最後に一つだけ加えたのである。

「彼らは秦氏と名乗りました。そして徳島県は、いまでも『秦』の字を使う姓を持った秦氏の子孫が多いところなんですよ」

影

「マーク・シルファンさんですか？」

電話の声の主は、インターポールに出向しているイスラエルの情報捜査官だった。明らかに前回の電話の声より緊張している。

「ああ、そうだ」

マークの声にもその緊張感は移っていた。

「シナゴーグの女、素性が判明しました。本名はアディラ・エブラヒム、フィリピン人です」

「ん？　フィリピン人っぽい名前じゃないが？」

「ええ、イスラム系の名前です。出身はミンダナオ島で、本人は犯罪歴などありませんが、父親はモロ・イスラム解放戦線の武闘派リーダーの一人です。インターポールを通じて国際指名手配もされています。フィリピンで最も過激でアル・カーイダとも繋がりのあったアブ・サヤフのリーダーで、アフガニスタンのムジャヒディンに加わったメンバーの一人でもあります。しかしその後、アブ・サヤフが下火になるとモロ・イスラム解放戦線に加わり、現在ではフィリピンで最も過激な活動を展開しています」

「でも……なぜ、その娘が日本に？」

「よくわかりませんが、まだアル・カーイダの残党や、シリアのテロリストなどとも連絡を取り合っているようです」

「わかった。ちょっと話が大きくなりそうなので、いまの話、ヘラー氏と私にメールしておいてくれないか。私も本国に確認してみる」

謎の神

小暗い裏路地でタクシーから降りたナオミは、どこか寂しげに突っ立つ影法師のような石柱の前を動こうとしなかった。虚をつかれたような顔つきで、彫り込まれた文字を見続けている。

〝木嶋坐天照御魂神社〟

背後から近づく賢司にも背を向けたまま、穴があくような鋭い視線をスマートフォンに落とした。やがて、その口から戸惑いが滲んだ言葉が洩れてくる。

「この石柱に彫り込まれた神社の正式名だけど、どうも変なんですよ。最初の木嶋は、この場所の名前だと思いますがね――」

「ええ、そうです。ここは昔、一帯が原野で、この場所だけが木々が嶋のように生えていたということから木嶋と名づけられたようです」

大竹はえびす顔で脇から口を挟んだ。

確かに見回すと、このあたりは住宅の密集地帯のようだ。昔は、さぞ開けた原野だったのだろう。木嶋神社は、その住宅街の風景に馴染むようにちょこんと収まっていた。

木嶋坐天照御魂神社

鎮守の杜もこぢんまりしていて、手入れの行き届いたお屋敷の木立のように見える。木々の狭間で神域を守る伊勢神宮と同じ神明鳥居も、静かで上品なたたずまいだった。

大竹氏が、隣の小さいほうの石柱を指さしながらいった。

「秦氏は、無限の富を得られる絹で財を成したことを感謝し、そこには『蚕神社』と彫られているんですよ」

賢司はここに来るタクシーのなかで、ナオミとヘラー氏からきいた秦氏の日本における甚大な功績を思い出しながら、やはり秦氏はシルクロードの民だったんだな、と思った。

しかし、ナオミはまだ煮えきらないようだ。

蚕神社の石柱

「木嶋はいいんですけど、次の〝坐〟は、ここに鎮座するという意味。じゃぁ、何が鎮座しているのかというと、その次の〝天照御魂〟。つまり、アマテラスの魂。でも、いまチェックしたら、ここには、アマテラスもその魂も祀られていないのよ――」

汗をぬぐう賢司の手がパタと止まった。

アマテラスの魂が鎮座すると表明している神社

に、アマテラスも魂も祀られていない？

「ここの祭神は五柱で、まずは天御中主神。大宇宙の中心にあられる特別な神で日本神話で最初に出てくる神よ。この神を氏神としている氏族はいないという意味でも特別な神。二柱目の祭神はオオクニタマ（大国魂神）。つまり、アマテラス側に負けて出雲で国を譲った大国主の魂のこと。三柱目の神がホホデミ――でも、この神がとっても不思議な神なのよ。実は今度、賢司のお父さまにお会いしたときに説明していただく約束をしていたの」

ナオミは賢司が取り出した系図に情報を書き込みながら説明を続ける。

「アマテラスから神武天皇までの系図では、最初アマテラスがいて、その子がオシホミミ。その子が天孫降臨したニニギ、ここ木嶋神社の五柱目の神で、その子が三柱目のホホデミ。その子が四柱目のウガヤフキアエズで、その子が神武天皇と天皇家に続いていくの」

「で、何が不思議なんですか？」

「このニニギという天孫降臨した神なんだけど、実は兄がいたのよ。ホアカリという」

その御名をきいて賢司は思い出した。確か、母の手紙では、ホアカリは賢司の家系、つまり海部氏の始祖だったはず。国宝『海部氏系図』の最初の神であり、籠神社の主祭神だ。

「確かにホアカリは、神武の曾祖父ニニギの兄と、母からききましたが」

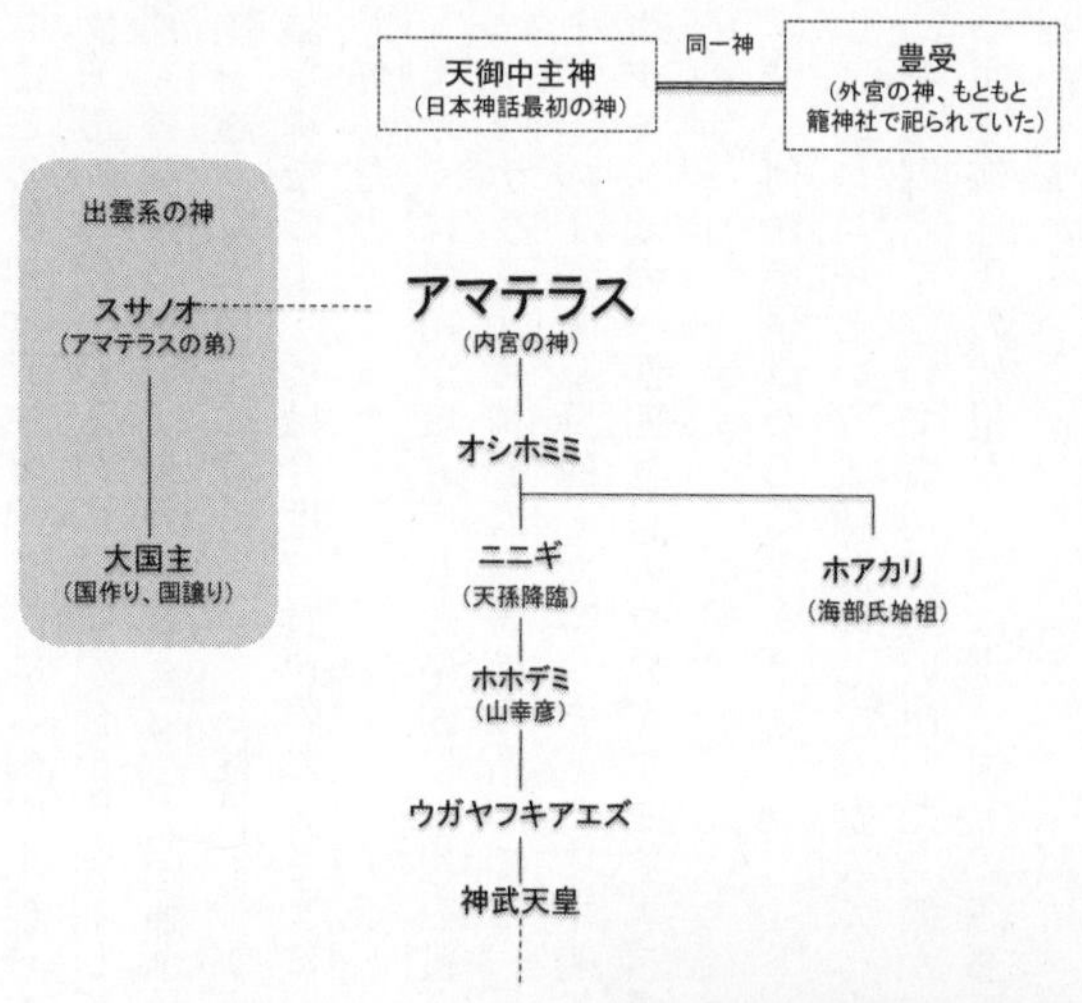

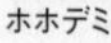
ホホデミ

出雲で国を譲った大国主

「ええ、でも奇妙なのは、籠神社の極秘伝によると、八世紀までは、そのホアカリはなんとホホデミという名で籠神社に祀られていたということなの」

賢司は、まったく理解できないという表情をつくった。

「だって、ホホデミってこの系図ではニニギの子でしょ？　それが何で、ニニギの兄なの？」

「つまり、どうやらホアカリとホホデミは、実は同神ということらしいの。ところがそのホアカリ、賢司のお父さまが、ニギハヤヒという神とも同神だと明言されていたのよ」

「えっ？　ニギハヤヒって誰？」

一体、どうなっているんだ――。

次から次に登場する神と、変幻自在

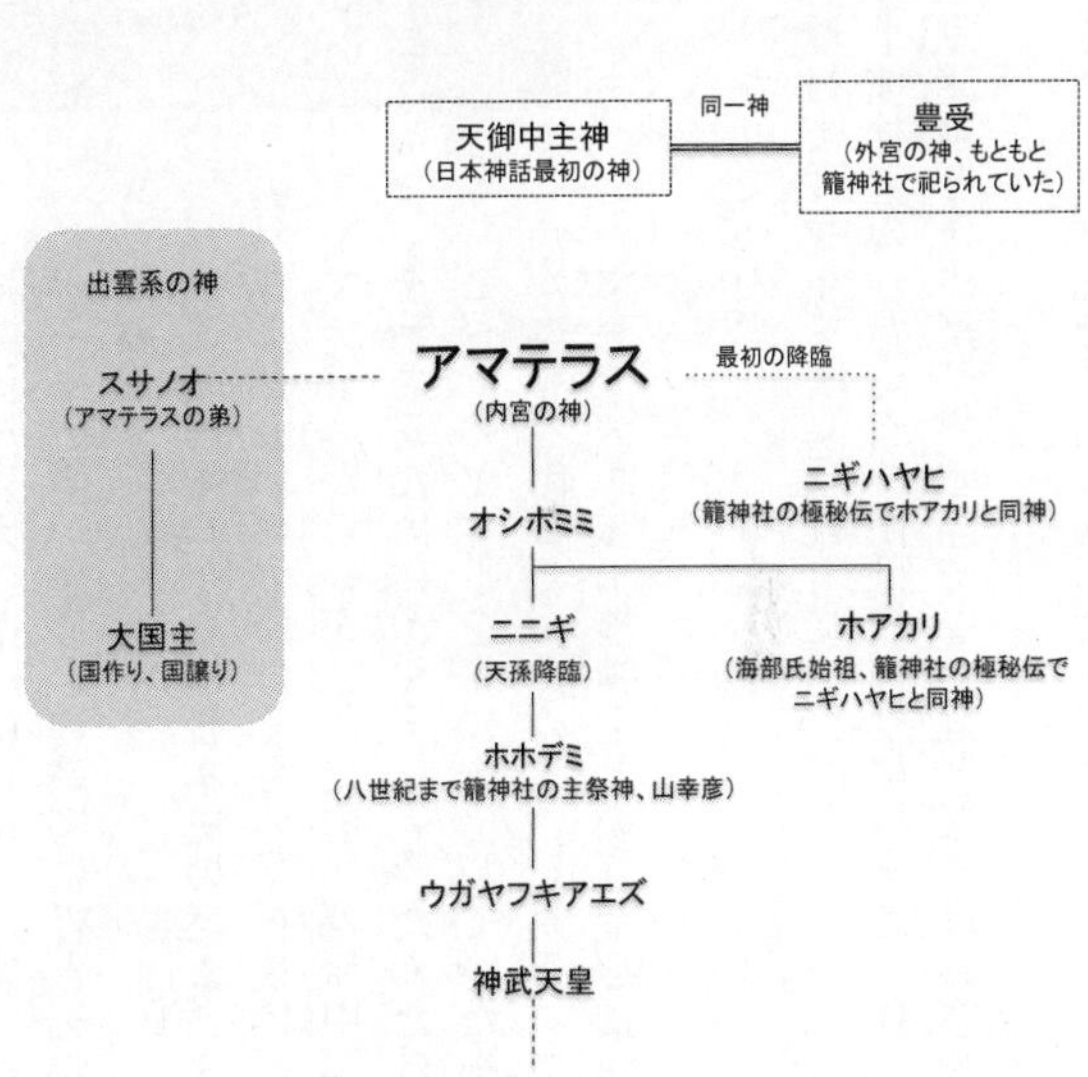

ニギハヤヒ

に関係を変える系図に賢司は戸惑った。

とりあえず、さっきの系図に書き込んでみる。

「このニギハヤヒは日本史の謎よ。タブーともいっていいくらい。神武はアマテラスから約束された国、葦原中国を治めるためにヤマトに入ったんだけど、そのヤマトを先に統治していた神がニギハヤヒだったのよ。しかも、アマテラスから十種神宝という宝を授かって」

ナオミの説明に、賢司は目をパチクリさせていた。

僕の先祖が、アマテラスから信任を受けてヤマトを先に支配していた？

「で、アマテラスから授かった、その十種神宝のうちいくつかは籠神社にいまでも残っていて、近年発表されたのよ。ほら、息津鏡と邊津鏡。出土品でない鏡としては日本最古の鏡よ」

ナオミはそういいながら、スマートフォンの画像を自信に満ちた表情で見せた。

「しかもホアカリ＝ニギハヤヒは、天孫降臨をしたニニギの兄だから、当然、格もニニギより上位なの。しかし、そのニニギの子孫の神武が来たとき、ニギハヤヒは最初は抵抗するんだけど、神武が自分も同じようにアマテラスの子孫だということを証明すると、なんと武器を捨てて自分から帰順してしまったのよ」

えっ？　とうとう賢司の頭のなかは、収拾がつかないほど混乱してしまった。だって、その話が正しければ、ニギハヤヒ＝ホアカリの降臨こそが、最初のヤマトへの正当なもの——。

「それって、逆じゃないですか？　格下の弟の血筋が、格上の兄に譲るのが普通でしょ？」

神武東征:葦原中国を譲り受ける

きいた賢司は目を白黒させている。

「ええ。でも実際は、いまの天皇家にヤマトを譲ったのよ。それにもっと不思議なのは、その後、ニギハヤヒはここまでしても、主祭神として大社や古社では一切祀られていないこと。国譲りをした大国主は、伊勢神宮より大きな日本最大の社に祀られているのによ。ニギハヤヒは、まるで日本の歴史から葬り去られたように扱われているんです」

賢司の口から、「確かに奇妙ですね……」という消え入りそうな声が洩れてくる——。

しかし決め手を欠いた会話は急速に勢いを失い、賢司の意識は薄暗い参道の奥へと戻されていった。

外された神

ナオミがまた系図を指さした。

「四番目の神はウガヤフキアエズ、神武の父よ。だからこうやって見ると、木嶋神社の祭神は非常によくバランスがとれているのよ」

ナオミはそういうと、メモの上でペンをサササッと滑らせ賢司に手渡した。

天御中主神（日本神話で最初に登場する大宇宙中心の神）
大国主（出雲で国を譲った神）
ホアカリ＝ニギハヤヒ（大和を差し出した神）
ニニギ（天孫降臨した神）
ウガヤフキアエズ（神武天皇の父）

「ねっ？　つまり、大宇宙に感謝し、国を譲ったり帰順した神やその一族から恨みをかわないように彼らの始祖を祀り、天孫降臨した日本人の祖と初代天皇である神武天皇の父を祀っている」

確かに――。この五柱を選択した秦氏には、国に対する理解も、統治する側でうまく治めていこうとする願いみたいなものも感じる。賢司もその思慮深さに感心した。

しかし、これだけ考え抜いたのに、どうしてアマテラスの名を冠している神社からアマテラス自身を外したんだろう？

偶然？――いや、それはあり得ない。ここまで考え抜いているのだから。

「まるで、本当のアマテラスを隠しているようですね――」

自ずとその言葉が洩れた。

しかし、いったとたん、はたとその正反対の推理が賢司の脳裏をよぎった。

本当は、アマテラスを隠していないのでは？　本当は、この五柱の神々のうちの誰かが、真のアマテラスなのでは？

そう思ったとき、なぜか背筋に戦慄が走った。これはもしかしたら秦氏のメッセージかも知れない――。

するといままで黙っていた大竹が、ズボンのポケットから使い古した黒革手帳を引っ張り出しながら謎めいたことをいい出した。

「ちょっと思い出したんですが――」

節くれだった右手の親指を舌でぺろりと濡らすと、音を立てながら頁をめくり始める。

「〝天照御魂〟が名の一部にある神社は、ほかにもいくつかありましてね。ただそれらの神社では、御名に多少のバリエーションがありますが、基本的には主祭神は同じなんですよ。木嶋神社は例外なんです」

賢司は思わず顔をしかめた。ナオミも半口を開けて大竹を睨んでいる。大竹の目が老眼鏡の奥でさらに細くなり、頁の上から降りてきた人差し指がピタリと止まった。

大竹は老眼鏡の上の隙間からナオミをジロッと覗き込むと、その頁をビリビリと引きちぎって手渡した。

「これです。ただ、詳しいことは私にもわかりませんので、神職にでもきいてください」

天照國照彦天火明櫛甕玉饒速日尊

その複雑な文字列に、ナオミは目を見開いた。

「これが神の御名？――けど、素直に考えれば、これはアマテラスの御名の一つね」

恐らく、そうだろうと賢司も思う。

でもなぜこの神が、この木嶋神社だけ不在なのだろう？

この理由を解けば、アマテラスの秘密が解けるということか？

そう思ったとき、暗くなり始めた境内を気にしながら、ヘラー氏がとりあえずいまは先に進もうと促した。

奥に鎮座する薄暗い小ぶりの社殿で参拝を済ませると、ヘラー氏は、何かのついでに据えつけたような左手のちっぽけな鳥居をくぐり、陰気くさい石段を数段下がっていった。

自然石でこしらえた、神妙な気配漂う小づくりの池泉の前でくるりと振り返る。

「この神社の入口に掲げられた由緒にも明示されていますが、これが秦氏が古代キリスト教の一派である、景教（ネストリウス教）の信者だったといわれる理由の一つです」

景教とは、五世紀、コンスタンチノープルのネストリウスによって唱えられたキリスト教の教派で、西アジア、中央アジアから中国まで伝わった異端の教えを信じていた。

だが異端といっても、それはあくまで当時支配的だったローマ教会からみた立場で、その信仰はどちらかといえば今日のプロテスタントに近い。異端扱いされた最大の理由は、母に対するローマの土着的な信仰から生まれた、聖母マリアを神の母とする信仰を否定していたことであった。しかし後年、イスラム教徒に改宗した多くは元景教徒であったといわれているほど、当時の景教徒数は膨大な数に及んでいたのも事実であった。

「この池は、洗礼を施す池と同じように足場がつくってあります。ここに入って、洗礼を受けたんだと思いますね。だから、その名を〝元糺の池〟というんです。糺すは、誤ったことを正す、洗礼を施すという意味です。元という字は、オリジナルという意味で、八世紀に糺の池がここから車で三十分ほどのところにある下鴨神社に移動し、この池に

由緒

木嶋坐天照御魂神社

延喜式内社で祭神は天之御中主神外四柱（大国魂神 穂々出見命・鵜茅葺不合命・瓊々杵尊）を祀っている　創建年月日は不詳であるが「続日本紀」大宝元年（七〇一）四月三日の条に神社名が記載されていることからそれ以前に祭祀されていたと思われる古社である　天之御中主神を主として奉り　上は天神に至り下は地神に渉り　御魂の縁徳を感じて天照御魂神と称し奉り　廣隆寺創建とともに勧請されたものと伝えられる
学問の神であり祓いの神でもある

蚕養神社（蚕ノ社）　本殿右側の社殿

雄略天皇の御代（一五〇〇年前）秦酒公呉国（今の中国南部）より漢織・呉織を召し秦氏の諸族と共に数多くの絹　綾を織り出し「禹豆麻佐」の姓を賜るこの地を太秦と称し推古天皇の御代に至り　その報恩と繁栄を祈るため養蚕　織物　染色の祖神を勧請したのがこの社である
養蚕　織物　染色の守護神である

元糺の池

境内に「元糺の池」と称する神池がある　嵯峨天皇の御代に下鴨に遷してより「元糺」と云う
糺は「正シクナス」「誤ヲナオス」の意味で此の神池は身滌（身に罪や穢のある時に心身を浄める）の行場である
夏期第一の「土用の丑」の日にこの神池に手足を浸すと諸病にかからぬと云う俗信仰がある

三柱鳥居

全国唯一の鳥居である　鳥居を三つ組み合わせた形体で中央の組石は本殿ご祭神の神座であり宇宙の中心を表し四方より拝することが出来るよう建立されている　創立年月は不詳であるが現在の鳥居は享保年間（約三百年前）に修復されたものである
一説には景教（キリスト教の一派ネストル教約一三〇〇年前に日本に伝わる）の遺物ではないかと伝われている

木嶋神社の由緒

は元という字がつけられたのです。この森も、同じように〝元糺の森〟といいます」

しかし、洗礼はキリスト教だけが行う儀式ではない。ユダヤ教にもテヴィラという洗礼がある。賢司は、これだけで秦氏を景教徒と決めることはできないと思った。

ヘラー氏は続ける。

「当時、唐には景教の教会が多数あり〝大秦寺（だいしんじ）〟と呼んでいたんですよ。ササン朝ペルシャが滅びると、イスラム教への強制改宗を嫌った人たちの多くが国境を接していた唐に亡命してきたからです」

賢司も、イスラム教への強制改宗を嫌った人々が唐に逃げたという話は知っていた。だが改めて考えれば、そのなかにペルシャ住人だった多くのユダヤ人が交ざっていても不思議ではない。

「それと、秦氏が景教徒だったといわれるもう一つの理由があれです」

そういって後方に差し出されたヘラー氏の右手の

古代イスラエル時代の洗礼の池
（写真提供:I, Producer/ CC-BY-SA-3.0）

元糺の池

下鴨神社、糺の森のなかにあるみたらし池

中国に残る大秦寺の跡（写真提供:
J. Coster/ CC-BY-SA-3.0）

唐で景教が流行していたことを
示す碑:大秦景教流行中国碑

先には、干上がった薄暗い池の真んなかで、人知れず亡霊のように突っ立つ不思議な形の構造物があった。小さな石鳥居のようでもあったが、よく見ると柱が三本あり、正三角形状に位置づけされている。まるで、三つの鳥居が三角錐状に合体したような形状を成していた。

それを見たとたん、賢司は〝シルクロードの三本柱〟に違いないと思った。

木嶋坐天照御魂神社の三柱鳥居

「あの三本の柱の一体化は、三位一体を表しているといわれているんですよ」

確かにそう見えないこともない。柱はサマリアでも神を表していたし、この池の形はイスラエルにある洗礼用の池にそっくりだ。

でも、それだけだ。六世紀初めのサマルカンド、七世紀の唐には景教が興隆していたが、仮に秦氏が景教とともに日本にやってきたとしても、八世紀までに彼らがそんな影響力を持つなんて現実的ではない。

「年代がそもそも合わないんじゃないですか？」

「ただ――、当時の景教は、宗教的には原始キリスト教とほぼ同じです。原始キリスト教徒だとすると時間的には間に合いますね。あくまで仮説ですが」

原始キリスト教とは、イエスの磔刑のあと、イエスの復活を信じその教えを説いた十二使徒たちがつくった最初期のキリスト教のことである。新約聖書が成立する二世紀ぐらいまで存在したが、その後ギリシャ語を話すヘレニストとアラム語を話すエルサレム教団に分裂し多くは謎に包まれていた。

確かにそれは盲点だった。原始キリスト教なら、時間的には可能性はなくはない。

しかしいずれにせよ、謎を解くためには、まず秦氏が残した謎を解かなければならない。その第一は、何故に、アマテラスの御名を冠した神社の祭神からアマテラス自身を外したのか。第二は、あの長い名の神の正体は一体誰なのか、だ。

それを解く鍵は、恐らく——。

木嶋神社の祭神であり、八世紀まで籠神社の主祭神であったホホデミ。そのホホデミと、父が同神といっている謎の神ニギハヤヒだ。

賢司には、このさりげない謎こそが、日本の秘密のカギを握っている暗号のような気がしてならなかった。

だが、賢司には、まだ四つ目の場所が残っていた。

「ところで、ヨルダン川の銅鳥居というのは、どこだかわかりますか?」

大竹は差し出されたメモを繁々と眺める。幅広の鼻の奥から唸り声を一つ洩らした。

「鳥居にはいくつか種類はありますがね、銅鳥居は比較的新しい鳥居なんですよ——」

ということは、新しい神社か? 視線を上げた賢司の眼に落胆の影が差し込んだ。

「あっ――、でも、出雲大社（いずもたいしゃ）という古い神社に、有名な銅鳥居がありますが」

確信はない。しかし可能性があれば確かめたかった。賢司は迷わず提案した。

「明日徳島のあと、その出雲大社に一緒に行きませんか？」

ツェッペリンさん

東京、六本木。大人の街といわれてきたこの街の一角に、その店はあった。六本木といっても、ひっそりとした裏路地を入ったさらに一番奥。突き当たりにあるむさ苦しいペンシルビルの地下一階である。

バウハウス――。屋根の低い三十畳ほどのアジトのような小さなバーは、東京に出張するエクスパットのたまり場だった。マスター率いるバンドはプロも唸る腕前で、小さなステージに夜な夜な響くビートルズやローリング・ストーンズの昔懐かしいビートが、言葉も食べ物も文化も異なる異国にいることを、ひとときだけ忘れさせてくれたからである。

いま、薄暗い店内の一番後ろのソファで、三十分インターバルで行われる二回目のステージの最終曲、レッド・ツェッペリンの〝天国への階段〟をききながら、デービッドは最後のフレーズを口ずさんでいた。

「あれからもう、二十年以上にもなるのか――」

ぽつり、デービッドは呟いた。

当時の米国企業には珍しく、ゴールドマン・サックスではプロパーで入社すると、初年度に一年間みっちり研修を受ける伝統があった。社会人としてのイロハやファイナンスの現場知識を習いながら、社内で数多の部署とコネをつくるのである。賢司より三年遅れで入社したデービッドは、当時、最も儲かっていた東京のデリバティブの部署で数カ月過ごした。同期だった王とイラージも一緒だった。

「ツェッペリンさんが久々に見えたので、みなさんのお得意の曲やりましたよ」

ステージを終えたマスターのジミーが、デービッドの隣に座り込んできた。

実はデービッドには、〝天国への階段〟にほろ苦い思い出があった。

バウハウスにはプロであるということを条件に、飛び込みでステージに出て一緒に楽器を弾かせてくれたり、歌を歌わせたりしてくれるサービスがある。ある日デービッドは、酔いに任せてプロだと嘘をつき、この曲を歌ったのだ。

だが、カラオケもろくに歌えないデービッドが、この難曲をステージで歌えるはずもない。最初の音からキーが外れ、最後のさびの高音裏声部分では、ステージはとうとう大爆笑。以来、デービッドは〝ツェッペリンさん〟として一躍人気者になったのだ。

「昨晩遅く、王さんとイラージさんが来られて、懐かしそうに〝天国への階段〟をリクエストしていましたよ。で、その後みんなでツェッペリンさんのことを噂していたんです」

ノスタルジアに弛んでいたデービッドの目尻が、いきなりキッと引きしまった。

「王とイラージが？」

その凄まじい眼光に、ジミーは困惑気味にこたえる。

「ええ――、その後は奥のテーブルで二人でひっそりと話していましたが――」

そこに、後ろのカウンターで電話の電子音が突然けたたましく鳴り響いた。

失礼、といって立ったジミーはすぐに戻ってくると、

「あのお、王さんです――。電波が通じなかったので、多分ここだろうと――」

といって、無線の受話器をおずおずと差し出した。

一瞬、戸惑いの眼で固まるデービッド。すぐもぎ取るように受話器を受け取った。

「もしもし、王――、おまえ、昨日イラージとバウハウスに来ていたんだって？　昨晩の便で帰るっていってたじゃないか？　まさか例の件か？」

その不安をぶちまけたような問いを無視するように、震える声がきこえてきた。

「デービッド、オネガイだから、ナニもイワナイでこれからアッテくれないか？」

東の海の島々

翌朝、三人を乗せた車は名神高速から明石海峡大橋を渡り、四国の徳島県へ入ろうとしていた。

重たい瞼をこすりながら、賢司は後部座席で何気なく視線を遠くに投げてみる。まだ覚めきらない細い目に、鮮やかな眺望が飛び込んできた。朝日といえども初夏の色合いは、光と表現したほうがふさわしい強い刺激だった。青ガラス色に澄んだ空。黄色がかった鮮麗な緑。藍を流したような深い海――。

美しい光彩が織りなすそのコントラストを、賢司はボーッと眺めていた。

ミラー越しにその様子をうかがっていたヘラー氏は、面白いものがあるといって、助手席のナオミにタブレット上のある写真ファイルを開いてもらう。鋼鉄色の自然石を積み上げた神殿跡のような遺跡だったが、よく見ると祭壇にも自然石が使われていた。

磐境神明神社跡(撮影:日下敏嗣)

「これは徳島県の磐境神明神社というところにある、古い神殿跡です」

「えっ、これが日本に？」

と洩らしながら、賢司はまだしょぼい目を押し揉んで二度見した。

そもそも古代の日本に、石でできた神殿があったなんてきいたこともなかった。しかも、およそどの国の祭壇にも、石切場で断裁された石が使われてきたのだ。歴史上、自然石を使ったのはユダヤの古代神殿だけのはずで、それは聖書にも記された神からの指示だったからだ。

バックミラーのなかの得意満面なヘラー氏を、賢司は色を失いながら睨みつけた。

磐境神明神社跡の祭壇（撮影：織田純一郎）

マヤの祭壇

2005年11月15日、磐境神明神社など、徳島県の各所でイスラエル大使館による公式調査を行ったエリ・コーヘン元大使。その様子は四国のテレビ番組で放映された。

「驚いた私はこの磐境神明神社を含め、徳島県をイスラエル大使館で二度公式調査しました。そうしたらさらに驚くべきことを発見したんですよ」

次に映し出されたのは、翠緑のなだらかな傾斜面をのぼる白装束の氏子たちだった。神輿に群れ集う無数の白点は、まるで獲物にたかるシロアリの大群のようにも見える。

「昨日、祇園祭と同じ七月十七日、ノアの方舟がアララト山の山頂に漂着した日――この聖なる日に神輿を剣山頂上に上げる祭りがあるのです。しかもその祭りを主祭する神社の名は宝蔵石神社、『宝を保管する蔵の石の神社』という意味なんですよ。私はこの

テル・アラドにある古代イスラエル時代の自然石神殿跡で、中央は自然石の祭壇
祭壇の上からは、祭祀で使用したと思われる麻の痕跡が検出されている（写真提供:Ian Scott/ CC-BY-SA-2.0）

7月17日の剣山のお祭り（撮影:須恵泰正）

祭りを見たときに直感したんです。アークが剣山にあると」

「アークが剣山に？　ご冗談を――」

といってみたが、ぱっと出た驚きの声を追って頭に血がジワジワと上がってきた。

「イザヤは、あれだけ国が崩壊の危機にあると王に警告していたんです。そのイザヤが、最も大切なアークを守るために何もしなかったとは、私にはとても思えないんですよ。『東で神をあがめ、海の島々でイスラエルの神、主の名をあがめよ』……イザヤの目は東方に向いていたことは間違いないと思います」

賢司はその考え自体には異論はなかった。

しかし、だからといって日本にアークがあるということにはならない。

だが、ヘラー氏は聖書のなかの不可解な記述を指摘する。

〝最も卓越した王〟と聖書に記されたヒゼキア王が晩年、神の怒りをかったと記されていることだった。

当時、南ユダ王国はアッシリアの事実上の属国だった。しかしヒゼキア王は大国の宗教に事大せずに偶像崇拝を払拭し、自国の宗教の純粋性を回復させた偉大な王であった。

ところがなぜか後年豹変し、神に祈り重い病気から救ってもらったにもかかわらず、思い上がって心からの感謝と

ヒゼキア王

賛美を捧げず、神からの怒りをかったと記述されているのだ。ヘラー氏は、一緒に宗教改革を断行した大預言者イザヤが一緒なら、そんなことは絶対に許さなかっただろうというのである。

「その頃からイザヤの記述はなぜか聖書にはありません。そのときには、すでにイザヤはヒゼキア王のもとを離れていたという証拠だと思いますね。ユダヤの三種の神器とともに――」

ユダヤの三種の神器とは、アークに収められていたと語り継がれる神宝のことである。

その一つがシナイ山でモーゼが授かった十戒の石版であることは有名な話だ。しかしアークには、ほかにアロンの杖（つえ）とマナの壺（つぼ）という神宝も入っていたといわれているのである。

アロンの杖とは、奴隷の身であったヘブライ人がエジプトを脱出する直前、モーゼの兄アロンが十の災いを起こし

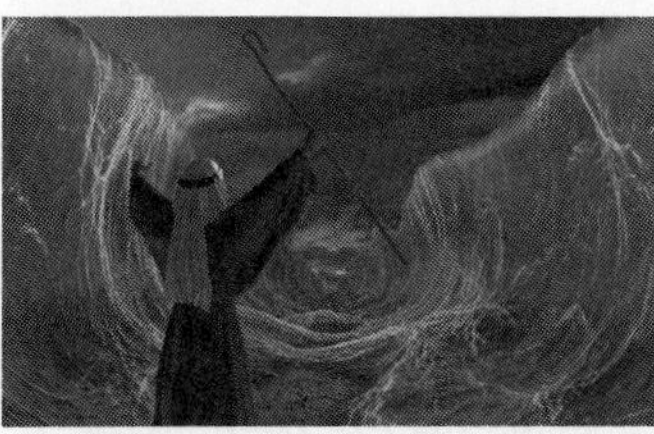

モーゼが海を割った杖はアロンの杖だったといわれている（出エジプト記）

ユダヤの三種の神器（十戒の石版、アロンの杖、マナの壺）を収める契約の聖櫃（写真提供:Ori229/）

てエジプト王朝を弱体化させた杖のことだ。エジプト脱出後、モーゼが神の力を呼び起こし、海を割って逃げ道を開いたことでも有名な杖である。

もう一つのマナの壺はヘブライ人が荒野を彷徨っているさなか、神が薄いパンケーキのような完全食〝マナ〟を与え続けた壺のことであった。

否定はしてみたが厳然たる事実もあった。――どちらの三種の神器も、神やその力の依り代ということだ。そんなものは世界広しといえども、ユダヤと日本にしかない。

「日本に来たのはアークだけではありません。イザヤは神の言葉を信じていたはずです」

ヘラー氏は重々しい言葉で自分を鼓舞するように聖書の一節を口にした。

「神がダビデ王に伝えた言葉です。『あなたの家、あなたの王国は、あなたの行く手にとこしえに続き、あなたの王座はとこしえに堅く据えられる』」

あなたの王座はとこしえに堅く据えられる――。

そうだ。神はダビデ王にその子孫が王座を受け継ぎ、王国が永遠に続くことを約束した。

しかしいま世界を見渡して、そんな国が一体どこにあるだろうか？

「世界には二十七の王室がありますが、ほとんどが長くても二十代程度です。日本以外で最も長いデンマーク王室だって十世紀から――神が約束した長さには、到底かないません」

賢司はヘラー氏の持論に耳を傾けながら、聖書のある一節を思い出していた。

〝王権はユダを離れず、統治者の杖は、その足の間を離れることはない〟

王権はユダを離れない――。ダビデ王はユダ族。イザヤが仕えたヒゼキア王も、そのダビデの子孫、つまりユダ族だ。

聖書が正しければ、ダビデの王朝の子孫がいまでも王朝を擁していることになる。しかし実際は、二十代続いた王朝は突然途絶えたことになっている。南ユダ王国の崩壊とともに。いまから約二千六百年前、紀元前六世紀のことだ。

「もしダビデの血統が続いている王朝がどこかほかの場所にあるのなら、紀元前六世紀以前から続いているだけでなく、万世一系(ばんせいいっけい)でなくてはなりません！」

二人の〝初代〟

万世一系の王家――。

賢司はその理由を思い出した。そう、ダビデ王朝は「王の子が王になる」家系。神が選んだ初代サウル王と第二代ダビデ王は王位継承における血脈を共にしていないが、ダビデ王朝自体は、同じ家系のものが王権を継承することをその神が定めた家系なのだ。

「そんな王朝は、世界にたった一つしかありません。紀元前六六〇年に神武天皇の即位によって始まった日本の天皇家の王朝だけです！」

ヘラー氏の言葉の勢いに、賢司は鼻から小さな唸り声を洩らすのがやっとだった。

日本の天皇家は、「王の子が王になる」家系。

そして、それがユダ族のダビデ王朝が断絶されたとされる当時からいまでも続いている世界唯一の家系――。

賢司は血統を絶対原理とした日本の皇位継承の発想が、世界を見渡しても異常なくらい独特なものであることに気づいた。

男系の世襲こそが唯一の正当性の源泉であり、それ以外は一切許さない。

何か宗教的なものさえ感じる――。

一方、西欧で皇帝はもともと血統というよりは実力者への継承で、王権も女系や他家に移ることもあった。中国では数千年の歴史のなかで血統の正当性を徹底的に否定してきたし、そのために『天』という装置が考案され、天命によって血統を否定する易姓革命が正当化されてきたのだ。ナオミが確信を露わにいう。

「ですから、もし神と聖書が正しいなら日本しかあり得ないのです。逆にもし日本でないというのなら、それは神と聖書が間違っていたということなのです」

「私はイザヤがヒゼキア王の了解のもと、王の子とアークとともに南ユダ王国を旅立ったと思いますね。彼らの子孫は最終的に平安京つまり、エルサレムを建てた。東の海の島々に。つまり、日本にです」

俄(にわか)に信じられない話だが、奇妙なくらい一致しているのも事実だ。

だが、賢司は混乱していた。ラビ・コーヘンのあぶり出し文字では、神武天皇はサマリアの王だったからだ。つまり北イスラエル王国だ。

しかし、ヒゼキア王とイザヤは南ユダ王国の人間である。

「日本に来たのは北の失われた十支族？　それとも南のダビデ王の家系ですか？」

ナオミが神々しい眼差しで、タブレット上の聖書を検索し始めた。

「『主なる神はこう言われる。わたしはエフライムの手のなかにあるヨセフの木（北）、及びそれと結ばれたイスラエルの諸部族（失われた十支族：北）を取り、それをユダの木（南）につないで一本の木とする。それらはわたしの手のなかで一つとなる。』――神武天皇は北イスラエル王国系の失われた十支族だったかも知れない。でもその後、南ユダ王国の王権に神の預言通り、王位を譲ったんだと思います。婚姻を通して。私が一番可能性があると見ているのは第十代天皇の崇神天皇のときです」

崇神天皇

ヘラー氏が脇から補足した。

「崇神天皇の生前の名前の一つは、『始馭天下之天皇』です。しかしこの名前は、神武天皇の一つの名前とまったく同じで、その意味はなんと『初めて天下を治めた天皇』なんです！」

鏡のなかのヘラー氏を怖いぐらいの表情で見つめていた賢司の口が、力なく開いた。

一体、どんな理由があって二人の天皇が同じ名前を使うんだ。

しかもその意味は『初めて天下を治めた天皇』——。

初代の神武天皇がこの名前であったことはまだわかる。しかしなぜ第十代の崇神天皇までもが、初めて天下を治めた天皇なのだろうか？　ナオミが深く頷きながら呟いた。

「日本の正史には、神武天皇は即位前のことしか記述がない。逆に崇神天皇は即位後の功績しか書かれていない。この二人は、二人で一人。まさに、『それをユダの木につないで一本の木とする』の通りなんです」

まったく聖書そのままではないか——。普通に考えて、そう思えた。

動転して思考があちこちへ飛ぶ賢司を、ヘラー氏の声がまた呼び戻した。

「日本神話では不思議なことに、淡路島が最初に生まれた島で、次は四国なんです。淡路島は黒潮が行き着く一つの到達点です。ですから私は、崇神のモデルであるイザヤ一行は黒潮に乗って淡路島に着いたあと四国にやって来て、アークをこの祭りがある剣山(つるぎさん)の山頂付近に隠したと思いますね」

「徳島県は、記録がある限り大嘗祭(だいじょうさい)に麁服(あらたえ)を調進してきた阿波忌部(いんべ)氏三木家が居を構えてきたところよ。三世紀から阿波にいるの。天皇家に関する何かがあることは間違いないわ」

ヘラー氏は、前を見ながらナオミの言葉に頷くと意味ありげに加えた。

「昔からこの剣山は人工の山で洞窟が多く、アークが隠されているという噂が絶えないところなんですよ――」

海の繋がり

イスラエル大使館で開かれるセキュリティ・ミーティングの準備をするため、マーク・シルファンは自室に入り、イスラエル式の甘いコーヒーをすすりながらコンピュータでメールをチェックし始めた。

傍では日本人女性の秘書が、いつものように含み笑いしながら鼻を鳴らした。

「ガラスのグラスに入れたコーヒーなんて、本当に信じられないわね、ふふ」

「何いっているんだよ。コーヒーはガラスじゃないと、味が違っちゃうんだよ。これが本当の飲み方さ」

同じような温(ぬる)い笑みをこぼしながら、マークはメールリストの何から読み始めようか、出だし部分をつまみ読みしながら選び始めた。中東情勢アップデート、国内政治状況の推移、世界経済と金融市場の動向、国内外の安全保障環境の推移――。

が、急に、その目にカミソリのような鋭利な光が差す。

「中国関連では、フィリピンの新人民軍NPAは下火になってきている。しかし代わりに、中国が南シナ海を乗っ取る戦略の一環でこの地域の不安定化を狙っており、ブルネイ、マレーシア、フィリピンなどのイスラム系過激派に対する裏からの支援活動を活発化させ関係を強化している——」

次の瞬間、鋭い視線を画面に貼りつけたまま、シルファンはヘラー氏にメールを打ち始めていた。

剣山

剣山

賢司たち三人は、リフトの終点、西島駅に降り立った。

剣山の標高は千九百五十五メートル。西島駅は千七百五十メートルの地点にある。建屋の外には阿讃山脈の展望が広がり、眼下に遠望できる山嶺が四国の屋根の上にいることを思い出させている。遠い山峰の向こうでは暦でいえば小暑の入道雲が立ちのぼり、暑い夏の到来を予感させていた。

一方、それとは逆に、剣山はなだらかな山だった。山頂のほうを見上げると、明るい横日に穏やかな山肌が緑に輝いていて、鋭利な剣のイメージとはどうしても重ならない。拍子抜けするほど裏切られたような感じもしたが、逆にヘラー氏がいっていた『人工の山』が、これならあり得るかも知れないと思えてきた。

あたりを見回すと、山道入口に古寂びた鳥居が立っている。ここから先剣山が、すべて神域であることを示しているような気がした。

一般の登山道を一時間ほどのぼっただろうか。

一行は刀掛の松という分岐点で左の小路に折れ、目的地の行場に入って行った。

地図で確かめながら、今度は大きな岩場を回り込むように下って行く――。いかつい岩肌のクサリ場を声をかけ合いながら降りると、次第に傾斜が増し足場が悪くなってきた。

すると、やにわに笹が鬱蒼たる島のように生い茂る岩場が現れた。三人はその岩の上に下り立ち、足で笹を蹴散らしながら目的のものを探し回った。

ほどなく、ヘラー氏が笹の間から穴口を見つけた。岩がひだ状になっていて、奥に続いているようには見えない構造になっている。覗き込むと、不気味な闇が奥に広がっていた。

「ここだと思います」

地図を指したヘラー氏の指先には力が入っていた。

「本物っぽくていいじゃないですか。さっ、行きましょう」というヘラー氏に続き、賢司とナオミは、懐中電灯を頼りに湿っぽい空気に満ちた漆黒のトンネルを降りていった。

洞窟のなかに降り立った賢司は、その闇の大きさに仰天した。闇黒がいくつかの方向に拡がり、奥の深い暗闇に吞み込まれている。かなり大きい石室だ。どこからか水がしたたり落ちる音がしたので懐中電灯で頭上を照らすと、岩肌が清水で青鈍色（あおにびいろ）に湿っていた。

「この穴のサイズから考えても、相当奥深そうですね」

そういって地図と懐中電灯で進行方向を確認し、デコボコの足下を確かめながらしばらく歩いたときだった。突然、後方で雷鳴のような轟音（ごうおん）がとどろいた。何っ——？

一斉に振り向く。が、同時にものすごい風圧で押しやられ、そのまま尻餅をついた。

「頭を伏せろ！」

ヘラー氏の叫びに条件反射的にその場で伏せ、頭を両腕とリュックで覆った。あたりでは飛び散っていく石岩が衝突で砕けるような音が続いたが、しばらくその姿勢で耐えていた。

鳴動がこだましながら遠くに消えていく——。

再び静寂が戻ったが、不気味に揺れ動く光のなかで、粉砕された岩の煙だけが宙に舞っているのが見えた。

ヘラー氏はトーチを持ち上げて一人立ち上がると、「怪我（けが）はないか？」と感情を抑えたような声できいた。そのとき、賢司はひどい耳鳴りに気づいた。一体、何が起こったかわからなかったが、二人は、ええ、とだけこたえる。しかし洞窟の入口がふさがっているのがすぐにわかった。

ナオミはオロオロしながら近づこうとしたが、その背中に向かってヘラー氏が叫んだ。

「危ないから近寄らないほうがいい！」

振り向いたナオミはいまにも感情が溢れ出てきそうな表情だ。

「最初の音はダイナマイトだと思う。まだあるかも知れないから近づかないほうがいい」

「出口あるかしら？　私たちここで死んじゃうの？　酸素はどうかな？」

ナオミは茫然自失の状態で、その顔からは血の気が引いていた。

「もしこの洞窟が本当にアークの洞窟だったら必ず大きな出口があるよ。それを探そう」

「——えっ、ええ——、わかったわ——」

その声はまだ怯えていた。賢司はナオミに歩み寄り肩をぎゅっと抱えたが、自分を見やる思いがけなく美しい瞳に気恥ずかしくなり、つい伏し目になった。

が、そのとき、突然洞窟の奥から微かに足音がきこえてきた——。

思わず身構える。暗闇の奥に焦点を合わせた。足音は一歩一歩早足で近づいてくる。

一人のようだ。懐中電灯の明かりが不気味に揺れ動いていた。

爆破した犯人か？　どうする？　しかし戸惑う間にも足音はどんどん近づいてくる。

足音はもうすぐそこだ。三人はお互いを見合わせたが、息が詰まるような緊張感だけが高まっていった。

「早く！　こっちだ！」

思いがけない叫び声に三人とも当惑した。反応しようにも、どうすべきかわからない。

「こっちだ！」

また同じ声だ。賢司は迷った。だが、後ろはふさがっている。いまは進むしかない。三人は頷き合うと、意を決して暗闇の声のほうに歩いていった。

間もなく、闇の奥からボーッと人影が現れた。中肉中背の均整のとれた体格だ。やがて揺れる懐中電灯の明かりが照らし出したのは、三十歳ぐらいの精悍な顔立ちの男だった。

が、いきなり見たこともないような嶮しい眼差しが三人を突き刺した。電灯を持ち上げると、全身から放たれる尖鋭なオーラはそれ以上に危険そうだった。

まずい。この男はやっぱり敵か？　が――、

「怪我はないですか？」

思いがけない改まった言葉に、三人とも面食らう。

「私は小橋といいます。諏訪大社の兼平宮司から賢司さんのことをお守りするようにいわれて、あとをつけてきました。私は兼平宮司と同じ八咫烏という組織のものです」

「八咫烏？　神道と天皇家の秘密を守ってきた伝説の秘密組織。やっぱり存在したのね？」

即座に反応したのはナオミだ。

「ええ。あまり多くのことはいえませんが――。賢司さんは正しい血筋の方です。私たちには、秘密を守る範囲で賢司さんを守る義務があります」

それをきいて、賢司はさらに疑心暗鬼になった。秘密を守る範囲とは一体どういう意

味だろうか。そういえば、兼平宮司もこれ以上詮索しないほうがいいとしきりにいっていた。忠告とも警告ともとれる眼差しで。とすると——、

やはりこれは、僕らを帰国させるために彼らが打った芝居か？

それにしても守るといいながら、この激しい憎悪を抑え込んだような小橋の凄まじい眼光の裏には、一体何が隠されているのだろうか。

だが、次の瞬間だった。背後の暗闇から忽然と何かが飛び出てくると、振り返る間もなく賢司は後頭部に強烈な一撃を感じる。そして白く遠くなる意識のなかで、両膝が崩れ落ちていくのを感じた——

正体

影は、あっという間にナオミの後ろに回っていた。首元に左腕を回し、右手で銃口をこめかみにグイッと押しつけながら男は叫んだ。

「出すんだ！　早くしろ！」

時間の流れが、しばらく凍りついていた。

が、ここで叫んだのは小橋のほうだった。

「お、おまえ……宗村じゃないか！」

いびつな嘲笑が男の唇を掠めた。

「よお、小橋。折角会えたと思ったら、まったく奇妙な巡り合わせだな」

しばらく放心した表情のまま固まる小橋。やっと震える声を発した。

「宗村、おまえ――、もしかして、おまえがスパイだったのか？」

「フッ、小橋、カンは衰えていないようだな。冥土の土産に教えてやるよ。まさに俺が中国のスパイ、ヴォルターだ」

小橋は愕然とした。このときすべてを悟ったからだ。あのおぼろげなイメージは夢ではなく現実だったのだ――。

それは生死を彷徨った病気のあとの快気祝いの日、酔いつぶれて眠りに落ちる前、八咫烏の秘密を口外しているシーンだった。考えるだけでもおぞましいシーン。あれは夢であってほしいと願い続けてきた。

しかし、あのときの相手宗村は中国のスパイ、ヴォルター。考え得る最悪の事実に小橋は自分の犯した罪の大きさを自覚した。後悔の念に苛まれたが、もうどうしようもなかった。

ヴォルターはヘラー氏にいい放った。

「早く神の絵を出せ！　リュックの中身を全部出すんだ！」

「宗村、そんなものここにはないよ」

「じゃ、何でおまえら四人が雁首揃えてここにいるんだ？　俺は騙されないぞ！」

ヴォルターが冷たい銃口をナオミのこめかみにグイッと押しつけた。

切迫した眼差しで戦くナオミ——。思い立ったように、いわれるまま背中のバッグをゆっくり下ろし、ヘラー氏に投げた。うつ伏せの賢司からもリュックを外すと、同じように放り投げた。

「三つとも開けて全部外に出せ！　小さなポケットもすべてだ！」

ヘラー氏は両手を広げておとなしく従う素振りを見せる。リュックを開け出した。

しかしそのとき、いきなりヴォルターの後方で大きな音がした。爆風でヒビが入った岩のかたまりが天井から落ちてきたのだった。

咄嗟にヴォルターは後ろを振り返る。左手が僅かに緩んだ。

その一瞬、小橋が銃を目がけて渾身の力で蹴り上げた。洞窟内に銃が転げ落ちる金属音がこだまする。ナオミは咄嗟に手を振りほどいて逃げようとするが、逆にヴォルターに突き飛ばされてしまう。そのままつまずき尻餅をついた。

その隙に小橋がヴォルターの頭部に回し蹴りを放ったが、ヴォルターは間一髪で首を引っ込めて躱すと、勢いをつけて横壁を蹴り上げ、体を反転しながら小橋にキックを放った。

ドシリと重いキックが響く——。小橋は左腕でブロックしたが体がよろけた。

すかさずヴォルターの左フック。小橋が捨て身の技で右足をすくい、二人とも転んだ。

が、ヴォルターは同時に、すくわれた足のかかとを小橋の鳩尾に命中させていた。ゲホッと、小橋が激しく咽せる。ヴォルターはその間に小橋に覆いかぶさると、容赦なくパウンディングし始めた。

小橋は両腕で必死に頭部を防いでいたが、体重差からくるパワーの差は歴然としていた。腕が力なく下がり始め、だんだんと顔が赤く腫れていく。意識も次第に遠のいていった。

「八咫烏も、これで終わりだな——だから帰れといっただろ！」

ヴォルターは右手で小岩をむずと摑むと、止めを刺すごとく大きく振り上げた。

しかし、そのとき、銃を拾い上げているヘラー氏に気づくと、咄嗟にその岩を投げつける。それをこめかみにまともに受けたヘラー氏は、そのままうずくまってしまった。

が、小橋はその隙を見逃さなかった。岩を投じたヴォルターの右手首を左手で鷲づかみにすると、小橋は左膝を折り曲げて抜き、体をさらに捻りながら左足を抜いて膝下をヴォルターの首裏に掛けた。——慌てたヴォルターが左拳を振り下ろす。

小橋は待っていましたといわんばかりに右腕で躱すと、ヴォルターの左手首を左手で握りかえながら力いっぱい左にたぐり寄せた。右膝をヴォルターの頭の後ろの自分の左足首に掛け、ヴォルターの下になったまま渾身の力で締め上げた。

柔術の三角締めが見事に決まっていた。

一見、下になっている小橋が劣勢に見えたが、今度はヴォルターの顔がどんどん赤く腫れていく。必死にもがいて締めをはずそうとしていたが、鼻血が吹き出るほど殴打されると、やがて白い歯をむき出したままグニャリと落ちた。間一髪の逆転劇だった。

小橋はすぐに起き上がると、まだ朦朧としている賢司の顔色を覗き込みながらいった。

「ここは危ない。ヴォルターはとりあえずここに縛っておいてあとで警察に連絡する。ここをまっすぐ行くと小さな神社があるので、そこで夜まで待つ。そのあと我々の車で安全をとって瀬戸大橋を渡って大阪に行くので、できるだけ早く日本を出国したほうがいい」

ネジ

厚い暗闇が張り込める洞窟のなか、さっきから会話を拒絶するようなオーラを背中から発していた小橋が、いきなり三人に振り返った。

「ところで今日、この場所に来ることを知っていた人間は？」

歩きながら暗がりに上下するあの鋭い目が、岩壁に照り返す灯りで一層ぎらついている。

「私にこの場所を教えてくれた知人には、今日来ることは伝えていませんが」

最初、ヘラー氏が首を振った。続いてナオミもキョトンとした眼でさらりという。

「私も誰にも口外していないわ」

賢司も小橋の警戒心を笑い飛ばした。

「僕の周りでも、昨日シナゴーグで一緒に地図を見た友人の三人だけしか知りませんよ」

いきなり小橋の目が冷たく刺すような目に変わった。

「では、ヴォルターに情報を与えたのは、その三人のうちの誰かです」

エッ？　瞬時にムッと腹を立てる賢司。――一体、この男は何をいい出すのだろうか。

「そんなことは絶対にあり得ない！　彼らは僕の友人です！」

しかし小橋は言い放った。

「今日、私のほかにあとをつけているものはいなかった。だからこの爆弾は前もって仕掛けてあったものを無線で操作したとしか考えられない。これ以外にない」

ふざけるのもいい加減にしろ、と賢司はいってやりたかった。しかし小橋は一歩も譲らず、いまはもうどうでもいいといい捨てると、また何かに対して怒りをぶつけるがごとく、貝のようにまったく何もいわなくなった。

賢司は、やるせない胸くそ悪さを溜め込みながらその小橋の背をじっと追っていたが、ふとヴォルターの拳銃のことが脳裏に閃いた。厳つい目でヘラー氏に振り向く。

「そういえばヴォルターから取り上げたあの銃ですが、もしかしてベレッタ92ですか？」

ヘラー氏は少し驚いた素振りを見せながら、出血していたこめかみに当てたハンカチをしまう手で、ポケットから黒い物体を取り出した。

「ええ、そうです。ベレッタ92です。でもどうしてわかったんですか？」

忘れるはずもない。ベレッタ92――。

「実は父の事件を捜査している警部が、犯人はサイレンサー付きのベレッタ92で、ソフトポイント弾を使用したのだろうといっていたのを思い出しまして」

「サイレンサー？　だったらベレッタ92は好まれて使われますね。実はサイレンサーは銃や弾とのメカニカルな相性問題が多く発生するんですよ。でも最も問題が発生しにくい銃が、撃ったときに遊底が水平にスライドするベレッタ92といわれているんです。それに銃口から、このように銃身が飛び出しているでしょう？　ここにネジを切って簡単にサイレンサーを装着できるんです」

　ヘラー氏は飛び出た部分を摘むと、指先を器用に動かしながらカバーを外した。

「ほら、これもネジが切ってある。このネジは新品では切ってありません。ヴォルターがサイレンサーを使用するために切ったんですよ」

　賢司は渋い顔をしながら父を殺害したかも知れない忌々しい銃を睨みつける。ヘラー氏はその目をじっと見つめながら、手練の捌きで弾倉を外し、銃弾を一つつまみ上げた。

「確かにこれは弾頭の鉛がむき出しになっていますね。通常は弾頭の先端がギルディング・メタルで覆われているんですよ。これはソフトポイント弾です」

　確証はない。持つこともできない。しかしこの銃は、ネジが切ってあるし弾もソフトポイント弾だ。賢司は写真の父の笑顔を思い返しながら、ヴォルターへの恨みのような感情がひしひしと高まっていくのを感じていた。

「ここだ。このはしごを上がると我々の神社のなかに出る――」

　突然、小橋がまた振り向いた。

見上げると、後ろの岩陰で朽ちかけたはしごが岩の天井を突き刺すように立っていた。

確認

マーク・シルファンは腿のポケットからスマートフォンを取り出しながら、メール着信履歴があることに気づいた。

早々と認証確認を終え、受信ボックスを開いてみる。予想通りヘラー元大使からだ。

フィリピン人の女に関するメールを読まれたかな？

しかしその内容は、新たな人物の調査依頼だった。

なになに？

瞼に力を入れながら件名を睨みつける。――えっ？

〝調査依頼：ウィリアム・王、イラージ・カーニ、デービッド・バロン。詳細はメールを参照〟

消えた絵

午後十時。暗闇と静寂の社殿のなかで、小橋がぬっと起き上がった。

行こう、とひと言だけいうと、まだ一人だけ寝ているナオミにキーホルダーのLED

ライトを当てた。ヘラー氏が屈んで揺り起こしている。洞窟では緊張した面持ちで、安全のためにアークはとりあえず諦めようといったその横顔は、どことなく寂しそうに見えた。

小橋はライトを消し、後ろの引き戸をそっと開けた。

南の空の低い月影が、突き出した小橋の後頭部を青白く照らしている。張り詰めた緊張感のなかで、それは小刻みに動き出した。

確認を終えると、小橋は三人に出てくるようそっと手を回して合図した。

小橋の説明では洞窟の出口はこの近くにはない。しかし、ヴォルターがほかの出口から戻ってくるという可能性は否定できない。ましてや一人だったという確証はどこにもない。

賢司たちはいつまた襲われるかも知れない不安に耐えながら、石だらけの山道を月明かりを頼りに下っていった。

しばらく歩くと、ふいと、ヴォルターが洞窟のなかで神の絵を探していたのを、朦朧とした意識のなかできいたことを賢司は思い出した。

神の絵って？　ひょっとすると父がくれた絵のことか？　慌てて背中からリュックを取り下ろし、チャックを開けてみる。だが、なぜか、ない。折れないように丈夫なフォルダーに入れ、内側ポケットに入れたつもりだったが――。

どうしたのだろう？　――まさか、さっき寝ている間に小橋が盗んだ？

道幅が広くなったところで急に小橋が振り向いた。工事関係の駐車場だろうか、大きなスペースが闇に広がっている。奥の木陰に濃色の車が一台、濁った月光に浮かんでいた。

「あの車だ」

ホッとついたひと息に、アドレナリンが引き潮のように退いていくのがわかった。これでやっと安全圏へと抜け出せる。思わず溢れた笑顔をみんなと交わした。が――。

逃げるような小走りで車に向かう四人の背後から、突然、影が一つ襲いかかってきた。

ウォーッ‼

空駆ける天狗

影は小橋の肩を摑むと、右足をかけて柔道の払い腰のような投げを放った。

しかし小橋は落ち着いていた。咄嗟に体を捻ってすかすと、逆に影が前につんのめる。

そのまま左腕を引きながら内股すかしのように返した。

影は勢い余って、すかされたままドスンという鈍い音を立てて腰から落ちていった。

だが影もまったく慌てていない。そのまま体を丸めてゴロンと転がると、何事もなかったようにぬっと立ち上がる。まるでテレビゲームの不死身キャラクターだ。左手と左足を大きく前に突き出し低く姿勢をとると、一連の流れる動作の最後はカンフーの構えだった。

そのとき、青白い月の光が影に差し込んだ。

闇夜に浮かび上がる不気味な顔。中心がどす黒い鼻血に染まっている。それはさながら夜叉にでも化身したヴォルターだった。

「ヒッーッ！」

ナオミが息を呑むような叫び声を上げると、ヴォルターは暗い笑みを浮かべながら小橋にいった。

「ヘッヘッ。昔から中国には、関節を外して縄から抜けだす破縄術ってのがあってな——」

賢司は咄嗟に小橋を助けようと踏み出したが、右手で銃を構えるヘラー氏の左手に制された。

だが平地で自由に動き回れるヴォルターは、ヘラー氏の銃さえも計算に入れ、小橋の死角に入ったり出たりして狙いが定まらない。空手とも合気道とも見えるスタイルで構える小橋に、ジワジワとにじり寄ってきた。

その小橋は内心焦りを感じていた。さっきの一戦で、ヴォルターのほうが武術も腕力も勝っていることを思い知らされたからだ。このままではまずい——。

フッ！　ヴォルターは、かけ声とともに左のジャブを放ってきた。小橋は頭を下げて躱す。

またヴォルターのジャブ。小橋が頭を下げると、今度はそこを待っていたように、右の前蹴りを放ってきた。

小橋は両手で受ける。足首を思いっきり捻った。

が、ヴォルターはそれをも計算済みといわんばかりに左足一本で回転しながらジャンプし、その左足でこめかみをめがけてキックを放ってきた。

鈍い音とともに頭部を捉える。ぐらつく小橋にパンチの連打を浴びせると、小橋は力なく尻から崩れていった。

「どうした小橋、八咫烏の羽は湿っているのか？」

余裕の響きで蔑むと、地面の上の小橋に向かって邪悪な笑いを飛ばす。しかし小橋は手元に落ちていた棍棒に気づくと、右手で握りしめながら立ち上がり、中段にスッと構えた。

さすがに正眼の間合いには、ヴォルターとてなかなか入り込めない。しばらくはヴォルターがジャブを出すふりをしながら、反応を確かめ合う膠着状態が続いていた。

切っ先の向こうで、冷たい月光に浮き上がる蠟面のようなヴォルターの顔には、まったく表情がなかった。そこにいるのは、小橋が知っている正義感溢れる宗村とはほど遠い存在だった。見たこともない、そのサイボーグのような凍った眼球に衝撃を受けながら、小橋は悪霊に憑依されたように恍惚と見入っていた。どちらが本当の宗村なのか、心が引き裂かれるような未練がましい葛藤を続けながら――。

しかし小橋は、乾ききった木肌を指先に感じながら、不安も感じ始めていた。これを振り下ろしても、棍棒が折れてしまうかも知れない——。

袋小路(ふくろこうじ)に落ち込んだような切迫感で、空気は張り詰めていた。

だが、ヴォルターが一瞬視線を下げると、妙な形に口元を歪めた。

まずい、気づかれたか？

しかし小橋は、この棒でも効果的に使える唯一の技を思いついた。——そうだ、これしかない。

不意に小橋が、緊迫した空気を破った。左手一本で棍棒を持つと、ヴォルターの首元を目がけて思いっきり突きを放ったのだ。

ヴォルターは咄嗟に手で避ける。しかし意表を突いた技に、切っ先は指先を掠めながらも、首元をとらえた。前屈みになるヴォルター。首のあたりを両手で押さえながら咽せて動けない——。

「いまだ、早く車に乗れ！」

闇に小橋の大声が響きわたった。

三人は思い出したように走り出す。しかしヴォルターは激しく咽せながらも、自分の首を突いた棍棒を拾い上げ思いきり投げつけた。

弾けるような音で転がりながら、棍棒がヘラー氏の右足をとらえた。

ヘラー氏が倒れ込む。銃が乾いた音を立てながら地面を転がった。

「あっ、銃が！」

「構わない、早く乗れ！」

小橋がまた叫んだ。

ヘラー氏が車に向かう。それを見たヴォルターは銃に向かって走り出した。

最後に賢司が助手席になだれ込むと、小橋はアクセルを踏み込んだ。しかし、出口は一つ。ヴォルターの背後にしかない。ヴォルターは銃を拾い上げると、向かってくる運転席を目がけ容赦なく引き金を引いた。

金属音が二回闇を裂いた――。蜘蛛の巣のようなひびがフロントガラス一面に走る。

ヴォルターは走り出すと、脇をすり抜けようとする車を目がけて躊躇なくジャンプした。ドンという衝撃音とともにボンネットの上に舞い降りるヴォルター。両手でルーフバーを力いっぱい握りしめている。血まみれのグロテスクなその面構えに、ナオミが「キャーッ！」と絶叫した。まさに鼻をへし折られたまま空を駆け巡る天狗だ。

前をふさがれた小橋は、もう思うように前が見えない。右に左に車を揺らしたが、体を張ってヴォルターはしがみつく。とうとう隙を狙ってまた銃を小橋に向けて発砲した。

しかしその瞬間、小橋はハンドルを切った。弾は脇のドアを貫いた。と、ヴォルターは、すぐさま銃のグリップをフロントガラスに何度も叩きつけ破るように割りだした。

この間、小橋は車を右に左に揺らし続けたが、大きいと思った駐車場もスピードを出すためには小さすぎる。ヴォルターはうまくバランスをとり、振り落とすことはできなかった。

このままではやられる——そう思った。小橋は一か八かの作戦に出た。崖に向かってアクセルを思いっきり踏み込み、落ちる直前で急ブレーキを踏んだのだ。

しかし無謀にも、ヴォルターはフロントガラスに開いた穴に銃を突っ込んで、もう一発ぶっ放す。その一瞬、小橋がまたハンドルを力いっぱい左に切った。

乾いた銃声がまた——。小橋は横のウィンドウが砕ける音をきいた。次の瞬間、四人は前につんのめる。鈍い前輪の音。柵の丸太で車が急停車した。

頭をもたげると、目に飛び込んできたのは空中で大の字に手足をバタバタさせるヴォルターだった。「ウォーッ!」と叫びながらヴォルターが暗闇の崖下に消えていった。

血走った眼で小橋がみんなに振り向いた。

「怪我はないか?」

血相を変えた三人がようやく頷くと、小橋は視界を遮るガラスを破り、後輪を激しく空転させながら出口に向かってアクセルを踏み込んだ。

「この崖は高くない。麓の拠点にもう一台車がある。それに乗り換えて大阪へ急ごう」

スマート・インターチェンジ

大阪に向かう切迫した空気のなか、いきなり押し殺したようなヘブライ語の乾いた声が後部座席からきこえてきた。

ヘラー氏の声だ。賢司は隣でハンドルを握る小橋を後目でちら見した。小橋の目は斜め上のバックミラーをジロリと睨んでいる。唐突な展開に、落ち着かない視線が小刻みに動き出した。

賢司は振り返って後部座席のヘラー氏を見た。ヘラー氏も硬い面持ちで賢司を一瞥する。しかし、何事もなかったようにスマートフォンに視線を戻すと、そのままナオミとのヘブライ語の会話を続け始めた。

何が起こっているんだろう？

道路灯のおぼろげな光が車内に漏れ込むと、一瞬ヘラー氏の耳に差し込まれたイヤフォンと小さなマイクの影が虚ろに浮かび上がった。

誰か外部の人間とも話している——。そう思ったとき、ナオミが発するヘブライ語の堅い響きのなかに、イズモという語音が紛れていたような気がした。——イズモ？　出雲大社？

賢司は小橋にまた目をやった。小橋もソワソワしながら、つり上がった目でバックミラー越しに探っている。だが、会話は二、三分続いたあといきなりパタリと止まり、以前と変わらぬ沈黙が戻った。スマートフォンを鋭く見続けるヘラー氏の鷹のような眼以外は——。

息が詰まりそうな沈黙が二時間ほど流れただろうか。出し抜けに、ハンドルを握る小橋の手がピクンと震えた。その外では、道路灯に怪しく黒光りするワンボックスカーがすぐ横を併走している。次の瞬間、ものすごいスピードに加速し、同じ車線に躍り込んできた。

危ない！　小橋が慌ててブレーキを踏み込んだ。賢司がつんのめりながら小橋を見ると、窓の外に同型の車がヌッと現れ併走し始めた。

慌ててサイドミラーを見た。後ろにも同じ不気味な車がもう一台、ぴたりとついている。完全に囲まれてしまっていた。小橋は目をキョロキョロさせながら明らかに動揺していた。

四台の車はしばらくそのまま併走した。

すると先頭の車が左に方向指示器を出した。小橋はまるで固まっているように何かを考えていたが、ほかの二台も左に方向指示器を出していることに気づくと、鼻から大息を吐きながらウィンカーレバーを下に叩いた。

車は吉備（きび）サービスエリア入口に、左へ切れていった。隊形を維持したまま、車は駐車場脇に止まる。先頭車のドアがそろりと開いた。

男が一人、大股で歩いてきた。真夜中だというのに黒のサングラスを掛け、黒のスーツとネクタイをビシッと着込んでいる。まるでスパイ小説から飛び出てきたような男だ。

小橋は口を固く結んで身構えていた。が、急に、男がドアの横で内ポケットをまさぐりだした。うわっ、銃かっ？

小橋は身構え、ドアレバーに指を掛けて押し出ようと体を寄せる。だが、男が窓に貼りつけた墨色の革手帳には、意味不明なヘブライ語の下にフランス語で〝ÉTAT D'ISRAEL PASSPORT DIPLOMATIQUE〟と金箔文字が浮かんでいた。

「私たちはイスラエル大使館のものです。これから元大使のヘラー氏の身柄を預かります」

ガチャッと音がしてヘラー氏が後部座席のドアを開けると、右足を一歩外に踏み出した。

「ありがとう、マーク。みんな、外に出よう」

賢司は、何が起こっているのかいま一つわからず躊躇していたが、ナオミが叫んだ。

「早く外に出るのよ、賢司！」

小橋は賢司と同時に出たが、いつの間にか集まっていたまったく同じ服装の三人の大使館員に取り囲まれてしまった。一人の男が耳慣れないアクセントでいった。

「ミスター小橋、元駐日イスラエル大使を救ってくださりありがとうございます。ただ、ここからはイスラエル政府の責任で元大使の安全を守ります」

小橋は、何がいま起こっているのか理解したようだ。少し逡巡したような表情でいう。

「――そうですか。――では私が責任持ってほかの二人を大阪にお連れします」

「いいえ、ミスター小橋。我々には八咫烏という組織の存在がまったく確認できなかったんですよ。つまり、我々の味方かどうか確認できないということです。すでにイスラエル人に対する殺人事件が起き、新たに人命が危険にさらされたうえ本人が希望されている以上、我々はミス・ナオミ・コーヘンにも別ルートを確保することにしました」

男はスマート・インターチェンジの出口近くに駐められた車を指さした。

ナオミは首を伸ばしながら厳つい視線で車を確認すると、改まった口調で詫びを入れる。

「小橋さん、私たちを助けてくださりありがとうございます。どうか悪く思わないでください」

そしていきなり車に向かって駆け出すと、振り返りながら、

「急いで、賢司！　早く！」と叫んだ。

賢司には、まだ何が起こっているのか全体像が摑めていない。しかしヘラー氏が頰笑んで頷くと、安心してナオミのほうに走り出した。

それを見た小橋も飛び上がるようにスタートを切るが、三人の男の屈強な胸板に巧みに阻まれ、脇からすり抜けることさえできずにいた。

あらがう小橋の方にヘラー氏が歩み寄っていく。鷹揚な物腰で語りかけた。

「小橋さん、私たちを助けてくださりありがとうございます。ただここからは、私たちは、状況を判断しながら日本の警察の協力を得て行動しますので、ここまでで結構です」

観念した表情になった小橋の向こうで、一台の車が一般道に向かう音が去っていった。

神迎

伝承によると、毎年旧暦の十月、八百万の神々が日本全国から出雲の地に集うという。背黒海蛇の龍蛇神による先導で海を渡り、この稲佐の浜へおいでになるのだ。そのいい伝え通り、出雲の十月は日本海が荒れ始める月でもあった。

一説では、稲佐とは否（ノー）か然（イエス）か、から来ているという。アマテラスの命を受け降臨した神、タケミカヅチが逆さに突き立てた剣の切っ先に胡座をかき、大国主に国を譲るよう迫ったのがこの浜だからだ。

稲佐の浜（写真提供:Qurren/ CC-BY-SA-3.0）

剣の切っ先に座り、大国主に国譲りを迫るタケミカヅチ

その後いくつかの経緯ののち、大国主は国を譲り、自らは幽冥界に退いて幽事の主宰者となった——あまりにも有名な古事記神代最大の佳局、国譲り神話の談判である。

以来、毎年旧暦十月十日、この浜では全国から神々をお迎えする神迎祭が催される。日本の十月が神無月と呼ばれ、出雲でのみ神在月と呼ばれる所以である。その最大のピークは、祭壇に捧げられた二本の神籬への祝詞の奏上だ。

漆黒の夜陰に寄せては返す荒々しい日本海の潮騒。燃えさかる炎に弾け散る乾いた薪の澄んだ響き。幻想的な闇夜のなか、気魂を揺さぶる神事が厳かに取り仕切られていく。神々が「神迎の道」を通り、大国主が待つ出雲大社へと迎えられていくのである。

出雲大社は〝幽れたる神事〟について、神々が僉議する神のお宮でもあったのだ。

その出雲大社には、古来より摩訶不思議な所伝が残っていた。日本最古の九九も載っている、平安中期の『口遊』という公家子弟用の学習教養書にである。

神迎祭（撮影:野木泰作）

雲太、和二、京三――。
日本最大の架橋や大仏などが記述されたこの書のなかで、営造物の項で出てくるのがこの歌謡であった。曰く、日本で一番大きな堂舎は雲太（出雲太郎）、つまり出雲大社。二番は和二（大和二郎）、東大寺の大仏殿。三番が京三（京三郎）、京都御所の大極殿、という意味である。今日この語呂が示すように、出雲大社本殿はとにかく巨大だ。

この外形の本殿が、初めて造営されたのは一七四四年。地上から屋根上に突き出た千木の先まで二十四メートルある。他の著名な神社が約十メートル、伊勢神宮でさえ十二メートルほどであることを考えると、いかに巨大であるかがわかる。最高神アマテラスの正宮を遙かに凌ぐその大きさは、それ自身が謎となるほど抜きん出ているのだ。

しかし辻褄が合わないのは、今日出雲大社の本殿は日本最大の社殿ではあるものの、二番と呼ばれた東大寺大仏殿より遙かに低いのである。大仏殿の高さは二倍近い四十六メートルにも達するのだ。

実は出雲大社には、かつての本殿の高さは、現在より遙かに高かったという古伝が残っていた。その高さはなんと中古で約四十八メートル。上古では九十六メートルにも及ぶ。

この伝話を無碍にできないのは、十一世紀から十三世紀までの間、約三十〜五十年ごとに倒壊しては建て直された記録、『出雲大社年表』が残されているからだ。もちろん、社殿が高すぎて倒壊したという記録は日本中ほかにない。

また出雲大社の宮司、千家氏には、高層神殿の造営に使用されたと考えられる『金輪御造営差図』という平面図も伝蔵されていた。それによると、高層神殿の本殿は十二メートル四方。九本の柱によって支えられ、各柱は三本の柱を鉄の輪で一本に束ねられる。側柱の直径は約三メートル。鎌倉時代の東大寺大仏殿でさえ一・五メートル程度であるから、これまた稀代の太さだ。

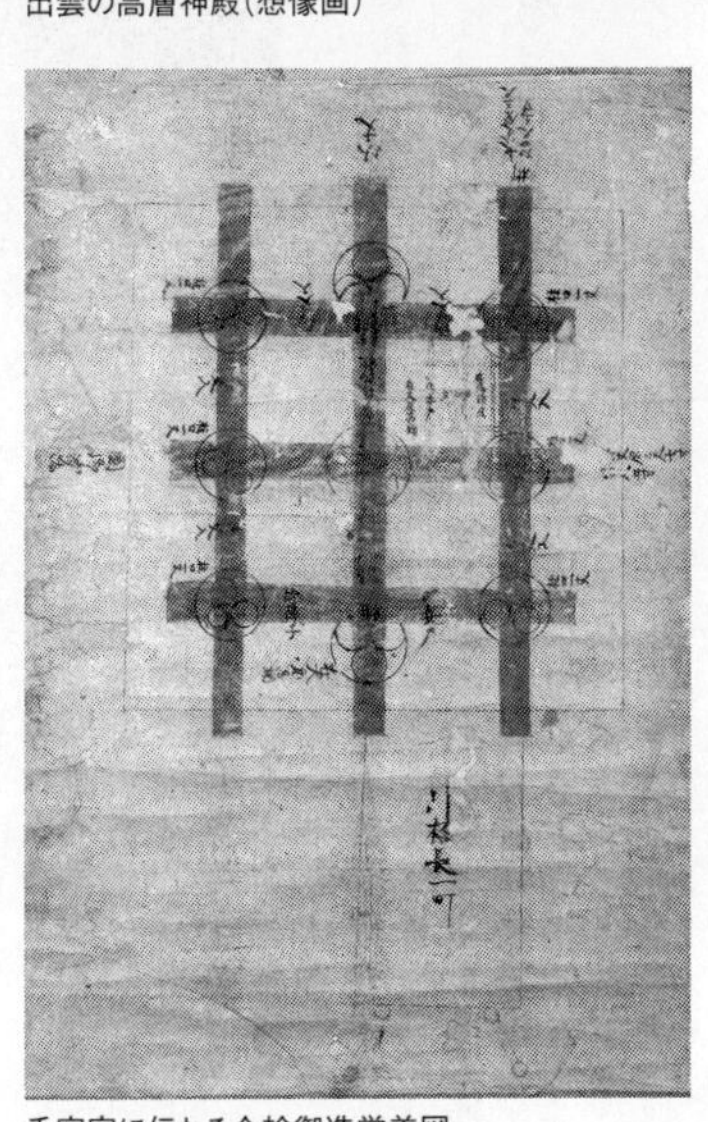
出雲の高層神殿(想像画)

千家家に伝わる金輪御造営差図

ところが、この伝承を真実と受け止めるものは多くなかった。それもそのはず、単純に考えて、こんな巨大な木造神殿の建設は不可能と思われていたからだ。懐疑論者たちを勢いづかせた理由はほかにもあった。物的証拠が皆無だったのだ。

だが——。

二〇〇〇年四月に行われた発掘調査で、スギの巨木を三本束ねた柱の根幹部分が相次いで出土したのだ。中心の柱の直径は各一・二メートル。三本束ねると最大三・二メートルになる。『金輪造営図』と高層神殿の信憑性が一気に高まったのである。

発見された巨木を束ねた柱の根幹部分

しかし、その巨木の柱が示唆する巨大神殿の存在は、出雲大社の謎を解明するどころか、さらに深い謎を生み出すこととなった。この古の神殿の遺構は、歴史のページに隠された謎のヴェールを一層濃くしたのだ。なぜ、彼の地にそびえ立つような高層神殿が造られたのか。その壮大な構想は、どのような意図を秘めていたのか。そして、その実現がなぜ出雲においてのみ可能だったのか。

もはや出雲大社の存在は、まるで過去の迷路へと誘う扉のようであった。この神聖なる場所は、単なる建築物の歴史を超え、神々と人間の絆、信仰と権力の物語が交差する場所——そこに隠された秘密は、深く複雑な迷宮の入り口のように、解き明かす者を待ち続けている。それは、ただの神話や伝説ではなく、ただの謎でもなく、実在したかもしれない歴史的事実の断片であり、日本史、いや、世界史の深淵に潜むより大きな真実へと導く鍵であることさえ仄(ほの)めかしているのだ——。

モサド

小橋は無言の返答に電話を取った相手を確認すると、荒い息づかいで言葉を吐き出した。

「斎主(さいしゅ)、逃げられました」

「何？　三人ともか？」

斎主の声にも、取り乱した焦りが乗り移っていた。

「イスラエル大使館の車に囲まれました。ヘラー氏は大使館員と去り、二人は彼らが用意した車で吉備のスマート・インターチェンジの出口から一般道に走り去りました。あの体捌き、大使館員は三人とも相当な武道の使い手——おそらくはモサドです」

何かに戸惑うような僅かな時間があり、のちに小さな嘆息がきこえた。

「ヘラー氏は放っておけばいい。元大使という立場上、安全を確保しなければならなかったのだろう。恐らくは、そのまま帰国するに違いない。問題は二人だ——何か心当たりは？」

「車中でヘラー氏とナオミはヘブライ語で話していたのでほとんど理解できませんでしたが、多分、イズモという言葉をきいたような気がします」

「イズモ？　出雲大社か？」

「恐らくは……」

「そうか、わかった。手は打っておく。とりあえず、籠神社に向かってくれ」

「仰せの通りに。車のナンバーはあとでメールしておきます」

多名でも諱のない大功労者

「八雲立つ　出雲八重垣　妻籠みに　八重垣作る　その八重垣を――」

「って、何かの暗号？」

賢司は、ナオミが運転しながらそれとなしに口ずさんだ言葉について尋ねた。

東の空から曙光が射し込み始めた頃、二人を乗せた車は山陰自動車道を出雲方面に向かって突っ走っていた。

「賢司も相当キテいるわね――、ふふ。でも、これは暗号ではなく、日本最古の和歌なのよ。出雲に関する歌だから、出雲の標識を見たら思い出しちゃったの」

　意外さを含んだ賢司の視線の先で、ナオミは笑みを浮かべる。

「解釈が難しい歌なんだけどね、『雲が幾重にも立ち上がる。雲が湧き出るという名の出雲の国に、八重垣を巡らすように雲が立ち上がる。妻を籠もらすために、何重もの垣をつくったけど、ちょうどその八重垣を巡らしたように』って、感じかな――夫が妻を守ろうとする歌よ」

「でも何だか日本の和歌って、意味をきいても暗号みたいだね。大国主の歌？」

「いいえ、それが父のスサノオの和歌なのよ——」

賢司は系図を確認しながら、スサノオが高天原（たかまがはら）を追放され、出雲に下ったアマテラスの弟であることを思い出した。

「でも出雲神話って、おかしなところだらけなのよね——例えば、古事記はなんと全体の三分の一も割いて、出雲を葦原中国（あしはらのなかつくに）の中心のように扱っているんだけど、いざ『国譲り』で苦労してやっと取ったかと思うと、そのあとは一切無視。ニニギが天孫降臨した場所も、遠く離れた九州だし——。何かおかしいと思わない？」

確かに唐突なような気もする。

「でもそれって、もともとの中心地が出雲で、国譲り後に大和に移ったということなんでは？」

「私も最初それを考えたんだけど、どういうわけか出雲からは宮殿跡は出てないし、古代都市を構成したような政治、経済、軍事の拠点があったとは思えない。それに古墳だって一番古くても四世紀のものだし、周りの国と比較しても同等程度の小さなものなの——日本神話の三分の一に値する国力には思えないわ。そもそも出雲平野なんて大きなものではないし、昔は巨大な汽水湖がいくつかあって、とても大国の人口を維持できるほどの耕作地はなかったのよ」

「確かにちょっとヘンだね」

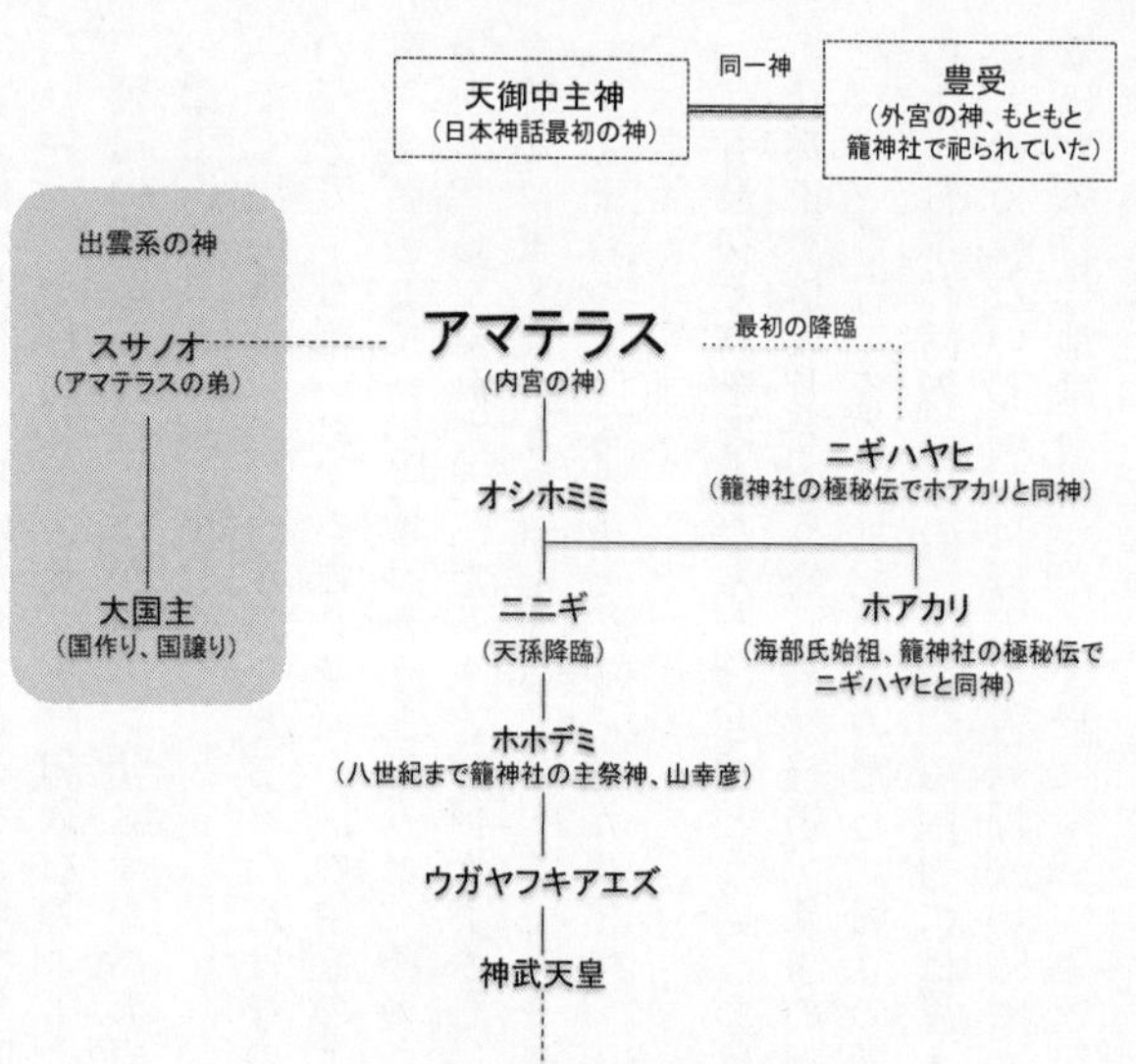

「ええ。それにスサノオは、出雲を苦しめていたヤマタノオロチという怪獣をやっつけたスーパーヒーローなのに、地元の『出雲国風土記』には、その神話はまったく記述されていないの」

「本当？」

と吐きながら、賢司は驚きの視線を運転するナオミの横顔にぶつけた。

「スサノオは登場するんだけど、ヒーローの痕跡はゼロ。出雲全体から。というか、その風土記のスサノオは、古事記のスサノオとはストーリーも性格もまったく別の神としか思えないくらいなのよ――」

賢司は虚ろな視線を戻しながら、

ナオミのいっていることは確かに一理あると思った。

最初、ヤマタノオロチの神話をどこかできいたとき、人々を苦しめていた盗賊か何かを怪獣に喩(たと)えた話だと思った。しかし、それを退治したスサノオの逸話が遠くヤマトの古事記に大々的に描かれているのに、地元の風土記にひと言も書かれていないのはどう考えてもおかしい。

ナオミは口を尖(とが)らせながら、さらに疑問を呈する。

「それに、国を譲った息子の大国主のほうも、異なる二神を無理矢理同じ神として仕立て上げたかのようにしか思えないのよね。——大国主は古事記では圧倒的な存在感があって、日本全国で祀られている最もポピュラーな神。でも出雲国風土記では、そもそも大国主って御名ではないし、ストーリーも功績もまったくぱっとしない神なの。おまけに大国主って、最も名前が多い神でもあるのよ」

大国主（因幡の白兎）

そういって、ナオミは賢司にスマートフォンで検索を頼んだ——大己貴神(オオナムチ)、大物主(オオモノヌシ)神、八千矛神(ヤチホコ)、大穴持神(オオアナモチ)、大国魂神(オオクニタマ)、顕国魂(ウツシクニタマ)神、広矛魂神(ヒロホコタマ)、大地主神(オオトコヌシ)、所造天下大神(アメノシタツクラシシ)、櫛甕玉神(クシミカタマ)、葦原醜男神(アシハラシコオ)、三穂津彦神(ミホツヒコ)、伊和(イワ)

大神、幽冥事知食大神（カクリゴトシロシメス）、出雲御影大神（イズモミカゲ）、杵築大神（キヅキ）……。

「いくら何でも多すぎるでしょ？　しかもこれだけ名があっても、正式な諱（いみな）、つまり本当の名がないの。国作りの最大の功労者なのによ。生前も死後も単に大国主。死亡した場所は不明だし、出雲大社の前身である杵築（きつき）大社の創建は八世紀になってからなの」

えっ、と思わず素っ頓狂な声が洩れた。——冥界を任せてもらうことを条件にアマテラス側に国を譲った神が、八世紀になってやっと祀られた？


毎年十月、出雲大社に全国から神々が集まる

「やっぱり大国主は、アマテラス側に敗れた王たちを習合した神じゃないかしら。なぜかというと、出雲大社には全国の神々が十月に出雲に集まるという伝承があるのよ」

「本当に？　アマテラスも来るの？」

「いや、伊勢神宮は否定しているわ。十月の伊勢神宮では、最も重要な神嘗祭（かんなめさい）があるしね。出雲に集まって来るのは、国津神（くにつかみ）と呼ばれる負けて国を譲った側の神々だけよ」

頷きながら賢司の眉間には深い皺が寄り始めていた。やはり——、大国主は国津神を習合した神で、出雲神話もそれに合わせてつくった物語？

それが一番しっくりいくように思えてきた。だが、疑問もま

だある。

「じゃあ、なぜ出雲の地を選んだんだろう？」

「それが、出雲に何かがあったことは確かなのよ。山奥から大量の銅剣が発掘されたり。でも、その剣の銅がどこでつくられたかはまだわかっていないけど、仮に出雲でつくられたとしたら、それは出雲は地位の低い土地だったということじゃないかしら。銅をつくるには大量の木材が必要で、土砂崩れや農業壊滅の原因だったのよ。いまでも原発なんて人里離れた地につくるでしょ？」

「そうだね。そもそも青銅器なんて実用性が低い金属だから、それだけでは強力な王国が存在したという証明にはならないね――でも、宮殿跡がないのに大量の剣が山奥から見つかったというのは、祭祀（さいし）の道具ということ？」

「そうかも知れないわね。それらの銅剣には刃がついていなかったのよ。だから、出雲は伊勢のような聖地だったかもね。実はそれを示すように、出雲は日本で唯一の古代高層神殿があった場所なの。伝承ではなんと約九十六メートル――」

　裏返ったような声が賢司の鼻から抜け出た。

「八世紀に九十六メートル？　でも、そもそも、日本にそんな建築技術はなかったのでは？」

「そんなの朝鮮半島や中国にもないわよ。だから真っ平らな東アジアに、ぽつんと出雲に高層神殿が建っていたということ。でも、柱跡や記録などいろいろ証拠も残っている

荒神谷（こうじんだに）遺跡から大量に発掘された刃がついていない銅剣（写真提供：島根県立古代出雲歴史博物館）

の」

しかし突然賢司は、あっ、と叫ぶと、声を弾ませながらいった。

「そういえば――、ヨシュア記で、ヨルダン川の東側にいた三支族が、川沿いの丘の上に高い神殿を建てた記述があったよね？」

ナオミは自信に満ちた眼を賢司に向けながら頷いた。

「そう、実は私もそれを考えていたのよ。だって、出雲大社も同じように川沿いにあるのよ。それに、その三支族のうち一つはミャンマーで発見されたマナセ族――彼らの一部がそのまま出雲にやって来たとすれば、出雲が聖地であった可能性があると思うのよね」

ナオミの言葉が空間を支配し、賢司の心に深く響いた。その日には、出雲大社の銅鳥居が、謎に包まれた〝ヨルダン川の銅鳥居〟と重なる。その瞬間、賢司は静かなる確信を得た。歴史の霧が少しずつ晴れ、隠された真実の片鱗（へんりん）が見え始めたような気がしていた。

突然、予期せぬウィンカーの音が静まり返った車内に響き渡った。運転するナオミの手が機敏に動き、車は徐々に速度を落としながら左へと流れるように曲がっていく。そして、朝霧のなかに広がる神秘的な出雲の風景を背景に、「さあ、いよいよ出雲よ」というナオミの引き締まった声が、謎を秘めたような深みを帯びて響いた。

崖下

ちょうどその頃、出雲から二百キロ離れた剣山（つるぎさん）の崖下で、満身創痍（まんしんそうい）のヴォルターが上半身を苦しそうに起き上がらせた。体中の痛みが、低い呻きとなって腹の底から鼻に抜ける。

大丈夫か？——一抹の不安を覚えながら、体中をざっと見回してみた。

よし、致命傷はなさそうだ。

ヴォルターは肩越しに振り返り、自分が落ちてきたところを見て呆れ果てた。あんな高いところから落ちてきたのか——。岩壁に生い茂る木々に、尽きていない自分の運を感謝した。

が、立ち上がろうと踏ん張った時、右の足首に稲妻のような激痛が走った。慌ててズボンをたくし上げ、靴下をそっと下げてみる。足首が予想以上にどす黒い紫色に大きく腫れ上がっていた。

まずい。これは、少なくともひびが入っている——。

ヴォルターはどうするべきか迷ったが、ひとまずは報告と次の指示を仰ぐために、周領事にファックスを送ることにした。しかし、怪我のことはあえて伝えないことにした。

このために何年頑張ってきたんだ。神の絵は必ず手に入れる。

俺の手で——。

報告が済むと、あたりに落ちている太い木の枝を選んだ。右足首に添え木をし、着ていたシャツを引きちぎって固定する。誤って足首が動くと、激痛が脳を突き刺した。

それでも何とか固定し終わると、片脚を引きずりながら駐車場に戻る道を探し始めた。

まずは車が来るのを待ち、それを盗んで山を下りよう。どう料理するかはそれからだ——。

残留

出雲大社に向かう国道沿いのコンビニの駐車場で、ナオミはスマートフォンの画面を袖でぬぐいながらメールを読んでいた。

「ねえ、賢司。ヘラー氏からこんなメールもらったわ。いい？　読むわよ。——ナオミへ、電話が通じなかったので、大阪の伊丹空港からメールしています。大丈夫ですか？

連絡したのは、大使館のメンバーが、大阪でウィリアム・王らしい人を見たからです。何でもないかもしれませんが、とにかく気をつけて。幸運を祈ります　デーブ・ヘラー」

「王が？　どうしてだろう？　いま電話してみるよ」

焦れる人差し指でスマートフォンの短縮番号を押し、ぶつけるように耳にあてがった。

「――ダメだ。スイッチが入っていない」

「変ね……。この前、祇園祭で見たイラージに、王も――。王って異様に日本のことに詳しいけど、何か日本と関係あるのかしら？　親戚がいるとか？」

「いや、特にそんなことはいっていなかったけど――」

口には出さなかったが、なんとなく憂いが滲んだような言い方だった。

賢司はイラージにも電話したが、やはり繫がらない。次にデービッドの短縮番号を押し出した。

「あっ、かかった。――デービッド？　いまどこ？　え、大阪？　そう……。そう……。うん……特に用はないんだけど。わかった。うん。とにかく気をつけてね。じゃあ――」

賢司が電話を切ると同時に、「デービッドも大阪？」とナオミが刺すようにきいた。

「うん、ホテルで昔の親友にばったり会って、ぜひ大阪に来てくれと頼まれたらしい」

「変ね……。米国に帰るといった二人が、まだ日本にいるということ……？」

その響きには、次の言葉を呑み込んだような余韻があった。

「う、うん……、確認がとれたのはデービッドだけだけどね……」

いつもの賢司の自信はすっかり鳴りを潜めていた。

弱気の戦略

盗んだ車のなかで読み始めた指示書は、あいにくヴォルターの意に沿うものではなかった。

――明日、二人は籠神社に現れる……。

ンッ？ もう一人の課報員と行動せよ？ 作戦はその課報員に従うことだと？

やり場のない憤りが、あっという間に胸いっぱいに膨れあがった。また、あいつか？ 俺が八年間、頑張ってきたんじゃないか！

ヴォルターは、不満だった。いや、それ以上に不安だった。

自分の知らないほかの課報員がこの件に関わっていることは、まだよしとしよう。ただ、よく知らない課報員と危険な作戦に一緒に取り組むのは、誰であっても嫌だった。

それとも郭大使の横やりか？

ヴォルターにも、郭大使の良くない噂は耳に入っていた。中国への帰任が近い郭大使が、党内の序列を案じてリスクを取りたがらないということだ。特に人民解放軍の多くの最先端技術をイスラエルに頼っていることを熟知しているため、イスラエルとの外交問題になる可能性を極力嫌っているとのことだ。――また弱気の戦略か？

そのために、俺たち末端がどれだけリスクを背負わされると思っているんだ――。

しかしヴォルターが最も憂慮した指令は下線で強調され、末尾に殴り書きされていた。

〝これまでの度重なる失敗により、計画継続の見通しは極めて流動的なものとなったといわざるを得ない。すべては次のミーティングでの郭大使の発言にかかっている。最悪、計画の中止もあり得る。その場合は、速やかに籠神社から撤退するように〟

まずい。ヴォルターは独りごちた――。

出雲大社拝殿前の銅鳥居

入れ替わった神

「この鳥居が、父とヘルマン氏が話していた〝ヨルダン川の銅鳥居〟だね」

賢司は深緑色に錆びたその銅鳥居を、やっと会えた故友を見るような眼で仰ぎ見た。

その賢司を無視するように、ナオミがいきなり鳥居に向かって走り出す。

「ちょっと待って、何か書いてあるわ――」

柱一面に刻まれた文字に難しい顔を寄せつけ、なにやらスマートフォンと格闘し始めた。

「ええと、一六六六年に寄進ということは、いまから約三百五十年前ね。——ええっ？」

いきなりそう叫ぶと、ナオミは首を突き出し、その場に固まった。

素戔嗚尊者雲陽大社神也

驚いたような顔のままで、

「この銘文によると——、この鳥居が寄進された一六六六年には、出雲大社の主祭神は国を譲った大国主ではなくて、なんと父のスサノオだったんだって！」と語尾に意外さを滲ませると、

「え⁉　出雲大社の主祭神は入れ替わったということ？」

と、賢司も思わず声を荒らげた。

もとより出雲大社は、国譲りをした神を祀るために創建されたはず。これではその神とは、昔はスサノオだったということになりかねない。

「どういうことだろう？」

とナオミが弱々しい声で呟き、両手を腰にやったときだった。

「こんにちは——」

突然の声に振り向くと、クリーム色のパナマハットをかぶった初老の男性が一人、晴れやかな笑顔で立っている。濃いグレーの頭髪と、無味乾燥な黒縁のメガネ。眉にも白いものが混ざっている。差し出されたカードには、太字の日本語と英語で出雲大社と書かれていた。

「私は三浦憲行(みうらのりゆき)といいまして、出雲大社で観光案内のボランティアをしている者です。もしよろしければ、ご一緒していろいろ説明させていただけませんか?」

一瞬、二人は戸惑いの眼を見合わせた。

しかし、三浦が大学で神道の歴史の講師をしていたことと、流暢な英語を話せることを考慮してガイドを頼むことにした。

三浦は左前方の拝殿(はいでん)に二人を誘導しながら、板についた口調で尋ねてきた。

「ところで今日はご旅行ですか? それとも何か特別に出雲大社にご興味でも?」

「実は、私たちは特に主祭神に興味があるのですが、いま銅鳥居の銘文にもあったように、以前は出雲大社の主祭神はスサノオだったのかと――」

早速本題を切り出したナオミに、三浦はぎょろりと視線を寄越した。

「ええ、それは本当です。例えば日本の有名な書、『平家物語』など、多くの書にもそう記されています。ただもう少し説明すると、出雲大社の宮司は国造(こくそう)という地方首長の家系で、もともともう少し東部にある熊野大社(くまのたいしゃ)でスサノオを祀っていたんですよ」

「えっ? スサノオを祀っていた家系が宮司に?」

熊野大社

「はい、そのときはまだ異なる御名で呼ばれていましたが。それが八世紀頃その任を解かれ、この地にやってきた。そして最初は大国主を祀り、それをスサノオに替えて祀っていたのです――」

そういえば籠神社でも八世紀に祭神の御名が変わった。

――何か政治的なにおいがする。

三浦は続ける。

「実は八世紀以前には、出雲国造が新任するとき、必ず宮廷を訪れて天皇に奏上していた不思議な寿詞（よごと）がありまして」

三浦は立ち止まり、今度はカバンから書を取り出すと、

「『出雲国造神賀詞（いずものくにのみやつこのかんよごと）』といいますがね、とても奇妙な表現があるんですよ」

といい、付箋を貼った頁のその部分を翻訳した。

神祖（かぶろぎ）熊野の大神、櫛御気野命（クシミケノ）（スサノオ）

国作りまししオオアナモチ（大国主）……

「この『神祖』という言葉は皇祖神という意味で、『クシミケ』はスサノオのこと。そして国作りをしたのがオオアナモチ、つまり大国主といっているのです……」

「えっ？　皇祖神はアマテラスでなく、スサノオといっているんですか？」

「はい。しかも、それをわざわざ天皇に伝えに行っていたのです」

賢司は、同じように絶句しているナオミに困惑の視線を送った。

皇祖神が、スサノオからアマテラスに入れ替わったということ？

三浦はそんな二人を尻目に、さらに追い打ちをかけてくる。

「しかも、なんと日本の正史までそれを示唆しているんですよ。スサノオはあるとき、アマテラスに会いに行きます。しかしアマテラスは、高天原を奪いに来たのではと警戒します」

ここでナオミが遮った。

「あ、誓約（占い）の話ですね。誓約を提案して、スサノオが身の潔白を証明しようとした」

三浦が頷いた。

スサノオを警戒して武装するアマテラス
松本楓湖《天照大神と須佐之男命》(広島県立美術館所蔵)

「はい。そしてその誓約で、アマテラスはスサノオの剣を嚙み砕き、吹き出すのです」

「そこから三柱の女神が生まれた」

ナオミの言葉に三浦はまたゆっくりと相槌を打ちながらいう。

「で、次に、スサノオがアマテラスの持っていた玉を嚙み砕き、吹き出した」

「すると、そこから五柱の男神が生まれた」

三浦は今度は不気味に微笑んだ。

「その通りです。そしてスサノオは、自分が持っていた剣から女神が生まれたことは心が清らかだからだといって、一方的に勝利を宣言してしまうんですよ」

賢司にはまったく解せない話だった。これが一体何の占いになるのか。どうして身の潔白が証明できるのか。

「たしかに奇妙ですね……」

賢司は疑心を隠さず洩らすと、三浦はさらに畳みかけるようにいった。

「ええ。しかし本当に奇妙なのはこの次です。アマテラスは、スサノオが吹き出した五柱の男神は自分の玉から生まれたのだから自分の子だといい、アマテラスが吹き出した三柱の女神はスサノオの剣から生まれたのだからスサノオの子だといいます。そして歴史はその通りになり、そのときのアマテラスの最初の息子が、天孫降臨をしたニニギの父なのです」

二人は三浦がカバンから取り出した図を覗き込んだ。

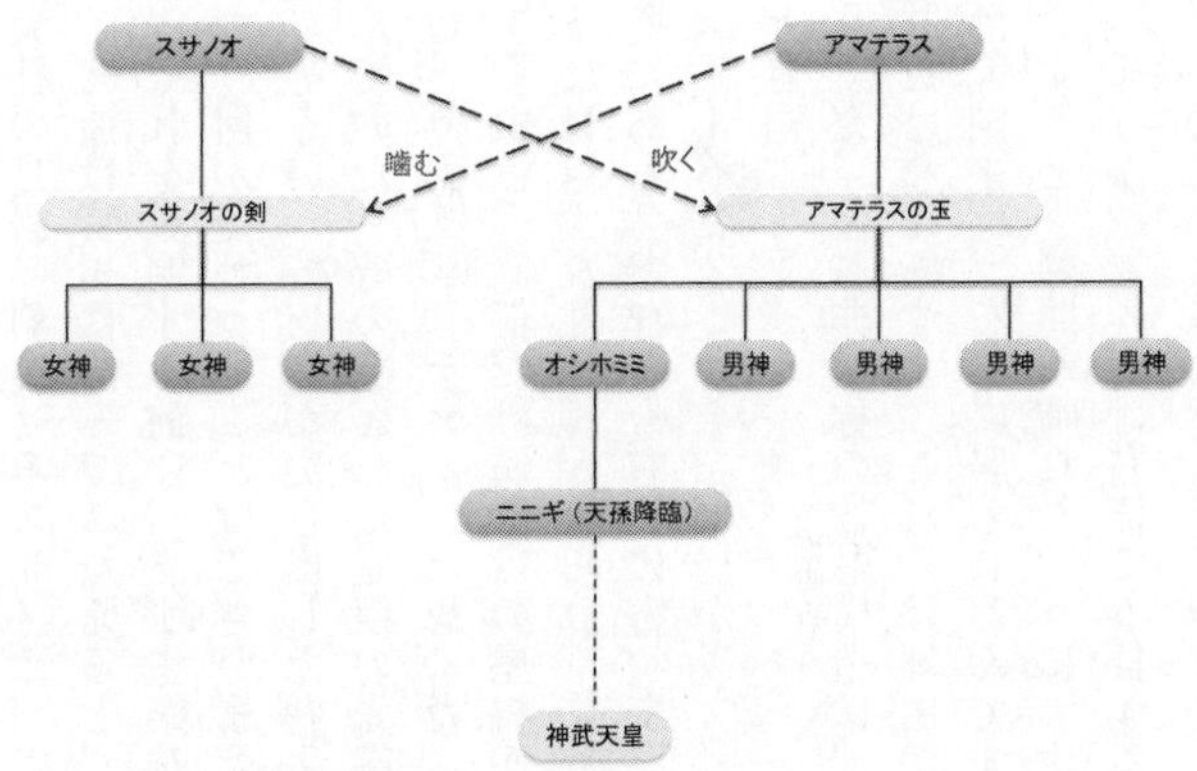

アマテラスとスサノオの誓約

　しばらく考えると、首を傾げたナオミの口からしっくりいかないと考えているような声が洩れてくる。

「確かにこうやって改めて見てみると、神武天皇はスサノオの子孫に見ようと思えば見えますね」

　賢司も同じ事を思った。少なくとも、この図はあの寿詞（よごと）が正しいことを示唆しているようにも思える。皇祖神がスサノオからアマテラスに入れ替わったと。

　しかしナオミがまたいった。

「でも皇統が入れ替わったのではなく、アマテラスとスサノオ、両者の子孫が天皇家とも見えるわね」

　低く唸りながら、それも然（しか）りと賢司は思ったが、当然の疑問が込み上げてきた。

「でもこれもそうですが、日本の歴史をひっくり返してしまうようなことをわざわざ出雲大社の鳥居に刻ませるスサノオって、一体誰なんでしょうか？」

三浦は賢司に笑みでこたえると、資料をカバンに仕舞い出した。

「それを説明する前に、まず主祭神の大国主を説明しましょう。この建物をご覧になって、何か変わったことはございませんか？」

そういって三浦が突き出した右手の先には、巨大な拝殿が千代の歴史とともにたたずんでいた。その凛（りん）とした屋根の先端を仰いだとき、賢司はとりあえず、デカイ、と思った。

拝殿は、右側だけ霜除けの屋根が突き出ていた。その下には巨大な注連縄（しめなわ）が張られ、よく見ると賽銭箱（さいせんばこ）がその奥にある。参拝者も右側に寄って参拝していた。

「サイズもサイズですが、形がアシンメトリーですね——」

と賢司。

「ええ、左右非対称の社殿構造は、日本ではこの大社造りだけなんですよ。これには理由がありましてね——実は大国主は、右側に居られるんです」

すると、疑問が晴れたようにナオミがひとつ頷いた。

「そうか。参拝者は右側で参拝するから、大国主の正面ということですね？」

大社造りの出雲大社拝殿

「いいえ、それは違います――」

意外な三浦の言葉に、二人は唖然とした顔をする。

「実は、大国主は西側、左側を向いているんですよ」

三浦は再び不気味な笑いを見せると、カバンの中から本殿内の配置図を取り出し、鉛筆で右奥の神座を指した。

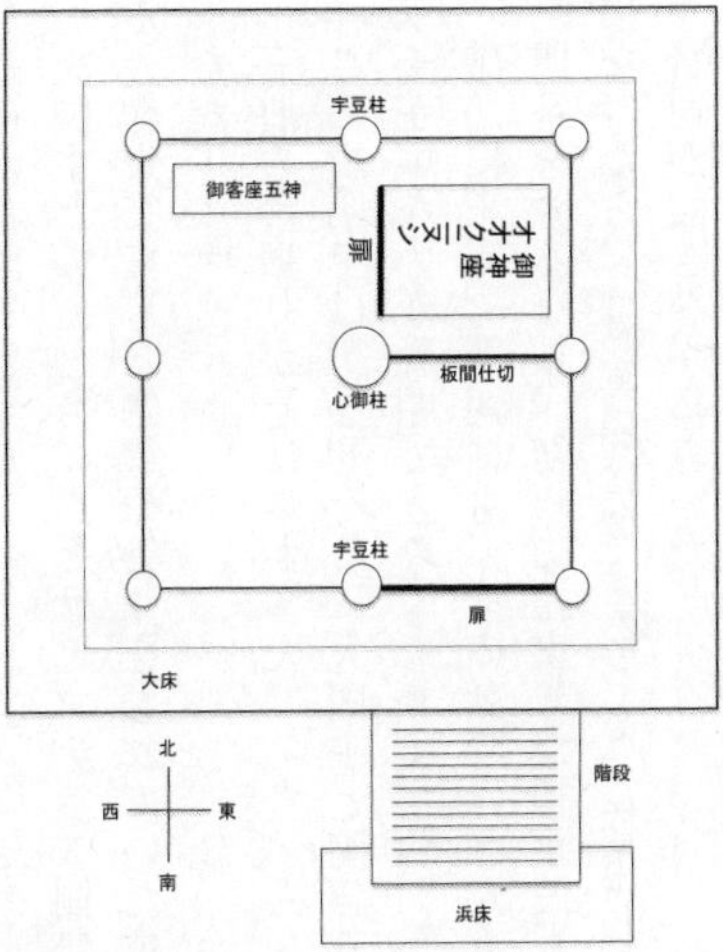

出雲大社本殿内

二人は身を乗り出して配置図に見入った。

確かに大国主は向かって左を向いていた。だがナオミはまだこだわった。

「でも大国主の左側に、正面を向いている神が居られますね？」

「ええ、そこには五柱の神々が鎮座していますが、アマテラス系の神がおられるので、大国主が幽冥界から戻って悪さをしないよう、門番をしているという説があるんですよ」

なるほど――。その説明は、賢司

も辻褄が合うと思った。

大国主といえども、もとはアマテラス側に殺害された人間なのだろう。幽冥界に留まると約束しても、悪霊や祟りを恐れていた古代人のこと。不安であったに違いない。

「ただ――」

三浦の声振りが急に変わった。

「この説明では、なぜそこに大国主と国譲りを直談判したアマテラス側の神、タケミカヅチがいないか説明できなくなりますね」

確かに――。賢司にも、その話のほうがもっともだと思えてきた。

門番をするなら、初めに約束した神が最も効果的に違いない。大国主が逃げ出しそうになったら、『幽冥界に留まるって、約束しただろ！』と脅すこともできるからだ。

賢司が頷きながらきいた。

「大国主は正面を向いていないし、この五柱の神々も左側に寄っている。ということは、出雲大社ではやはり、参拝者に正面を向いている神はいないということですね？」

「いいえ。それも違います」

意外にも頑とした響きだった。

「でも、それって、矛盾していませんか？」

たまらず賢司は目を円くしながらそういうと、二人ともその場で困惑の色を深めていた。

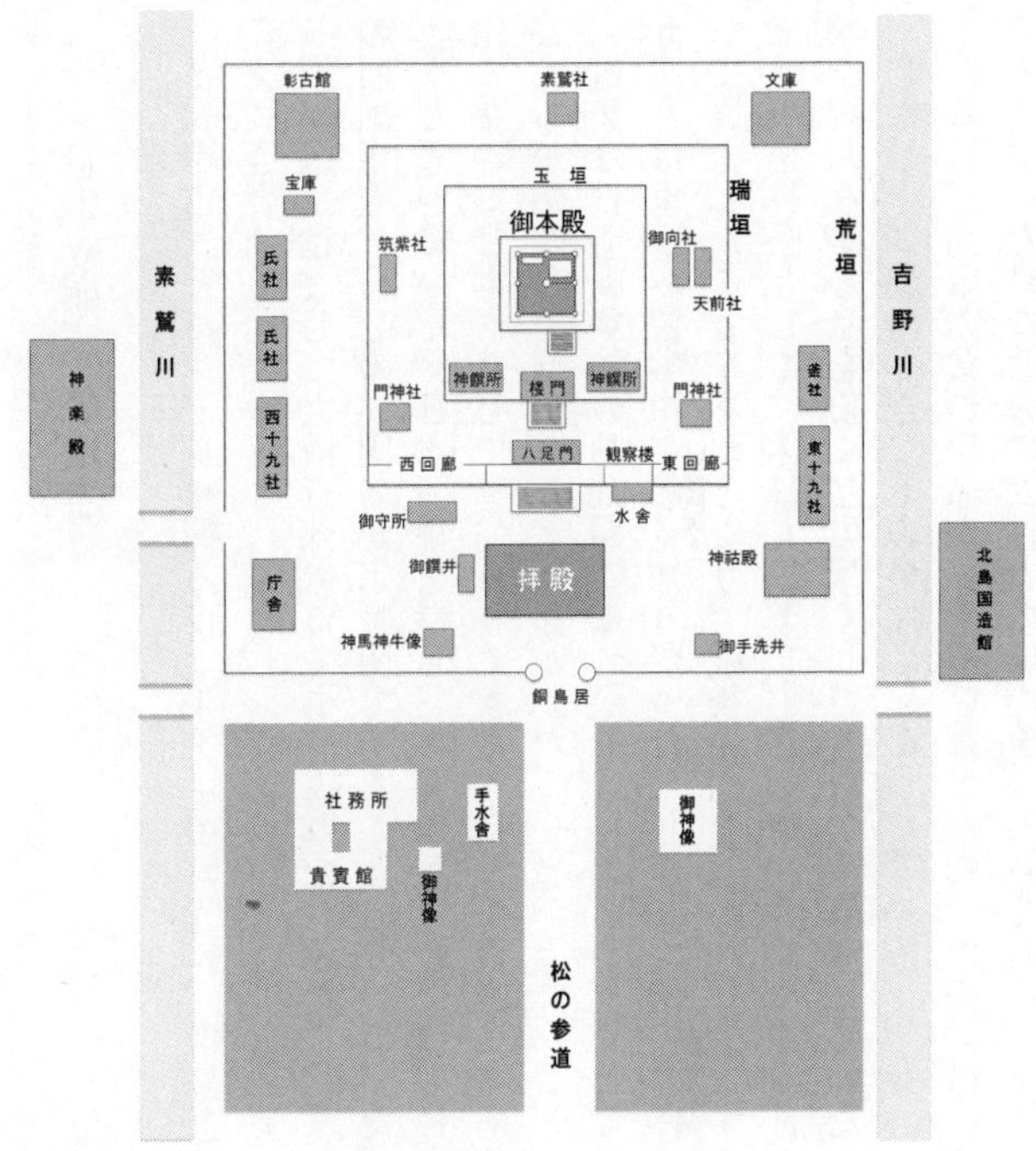

出雲大社境内

すると三浦は、また使い古した肩掛けカバンのなかから何かをゴソゴソと抜き出した。

「これは出雲大社全体の配置図です。何か変わったことに気づきませんか?」

覗き込んだ二人の視線はしばらくその配置図の上を舐め回すように動いていたが、突然、あっ、と叫んだのはナオミだった。

日本文明の破壊者

と、ボーッとハンドルを握るヴォルターの耳元に、突然父の呻くような悲しい声がきこえてきた――。

中国系三世として大阪近郊のごくありふれた住宅地に生まれ育った宗村暁明(あきはる)は、両親の旧国籍も、自分の中国名が宗暁明(ソンシャオミン)であることも知っていたが、心のなかではいつも日本人と思っていた。日本国籍を持ち、日本の教育を受け、日本人の友人と遊び、日本文化のなかで日本人として育てられてきた。自分が日本人であるかどうかは、話題になるどころか疑問さえ抱いたことはなかった。

祖父は日清戦争後の動乱期、これからは日本ということで日本語を勉強していた。蔣介石(しょうかいせき)とは東京へ留学中、顔見知りだった。しかし、彼のコネで大日本帝国陸軍に通訳として協力したことがあだとなり、戦後中国を追われ、逃亡するように日本にやってきた。父は小児科医として、休日も返上し、病気で泣きじゃくる日本の子供達のために弱体に鞭(むち)を打ちながら身を粉にして尽くしてきた。家族も日本のために命を懸けてきたのだ。

しかし十九歳のとき、その事件は起こった。

ある日、病床の父の余命が長くないことを知った宗村は、孫の顔を見せたいと当時つきあっていた幼なじみの女性との結婚を申し込むため、子供の頃からよくかわいがってもらった相手の両親を訪ねた。

だが逆に、中国人に対するとんでもない侮蔑とともに別れさせられたのだ。

生まれて初めて体中の血が煮えたぎるような思いがした。悔しさでも、悲しさでも、情けなさでもない――僅かな迷いさえない、ただ燃え盛るような怒りだ。

相手の両親が難色を示すことは初めから予想していた。しかしその理由はあくまでも「若すぎる」だった。しかし、かわりに二人と宗村の心を引き裂いたのは、屈辱で身体の芯から熱くなるような差別用語――。

俺は、日本人じゃなかったのか？　じゃぁ、俺は一体誰だ？

打ちひしがれる息子に、病床の父は情けない声でいった。

「ごめんよ……お父さんのせいで……」アクセントもない、きれいな日本語で――そして、そのまま回復することなく世を去った。

父が一体、なにをしたというのだ？　俺にどんな罪があるというのだ？　子供の頃からあんなに可愛がってくれた日本人が、娘の結婚となると、なぜいきなり豹変し、中国人を罵倒しながら差別できるのか？

生まれながらの民族という、自分ではどうすることもできない刻印――〝漢〟という記号に対するじくじたる思いが胸一杯に込み上げてくる。

民族なんて、なきゃいい。国境なんて、なくなればいいんだ――その憎しみは、いつしか自分を拒絶した日本への嫌悪感となり、復讐の誓いへと変わり始めた。

しかし、その日本って、一体なんなんだ？

報復の方法を思案していた宗村は、ある日、ハーバード大学の著名な政治学者が著した『文明の衝突』という話題の書を読み、日本が東アジア・東南アジア地域で唯一、中華文明に属さない国と定義されていることを知った。いや実際、世界に存在するたった九つの文明のうち、唯一、一カ国だけしか属さない単一文明、〝日本文明〟の国としてだ——なぜだ？　なにが日本をそんなに特異な国としているのだ？　日本だけにしかないものとは、一体なんなんだ？

寿司か？　侘(わ)び寂(さ)びか？　武士道か？　もののあはれか？　桜か？

いや、そんな派生的なものではない。もっと、もっと、根源的なものだ。

宗村は、日本にだけあってアジア諸国、いや世界にないものを探し出すため、さまざまな文献や資料を読みあさった。そしてとうとう、日本を日本たらしめている究極のものを探りあてた。

——これだ。

世界にたった一つしかない、単一文明を支えている唯一無二のバック・ボーン。これがなければ、日本文明が内から溶解し、中華文明と一体化してしまう運命のセパレータ。そしてこれさえなきものとすれば、グローバリズムの濁流のなかで日本の特異性を排除し、日本文明を永遠に消し去ることができる絶対的なキー・ストーン——。

それこそが、神道。そしてその中心にいる、ある、天皇家だ。

宗村は、神道の内側に入り込むため、祖父が仕えていた師団長と写っている写真を探し出し、地元の名士であったその息子に下鴨神社へ奉職するための紹介状を書いてもらった。そしてときを見計らって、在大阪中国領事館に駆け込み、周領事に復讐の意志を直訴したのだ。

周領事は、日本人の仕草を持ち日本語にまったくアクセントがない宗村を気に入り、セキュリティ・チェックのあと、中国が伝統的に得意とする武力を使用しない戦争、超限戦（ちょうげんせん）のなかで、神道をなきものとするプロジェクトの工作員として即座に採用し訓練を施した。男女平等を掲げて女系天皇を認めさせることにより万世一系の皇統に内部矛盾を生じさせ、皇室を崩壊に導くための教育界やメディア、そしてオピニオンリーダーや芸能人への工作は中央にある東京の大使館が担当し、女系容認派の増大などすでに多大な効果をあげているとのことだった。

周領事は、武道に精通する武闘派の宗村に期待を込め、間違いがあっても察知されぬようドイツ語のエージェント名を自ら命名した。

その名も、ヴォルター（〝Ruler of Army〟軍の支配者）――日本文明の破壊者だ。

苦虫を嚙み潰したような顔のまま我に返ったヴォルターは、スマートフォンを助手席に放り投げながら次のアクションを考え始めていた。

「本殿の後ろにもう一つ社殿がある！　こんな神社、日本でも珍しいですよね？」

そういったナオミに三浦はニンマリしながらいった。

「しかも、その社殿は本殿の中心線から右に寄っていて正面を向いています。つまり、参拝者に正面を向いている。出雲大社で参拝者に正面を向くのはこの神だけです」

二人は咄嗟に食い入るように三浦を見た。

「その神って、一体誰ですか？」

もったいぶるような間を置きながら、三浦はどうともとれる複雑な表情をつくる。

「それが――、父のスサノオなんですよ」

スサノオ？――その言葉を力なく呟くと、賢司は天を見上げながら太息を吐いた。

とうとう賢司は、この時点で完全に行き詰まってしまった。

出雲大社の宮司の家系は、もともと、別の地でスサノオを祀っていた家系ということだった。それがその任を解かれて出雲の地で大国主を祀り、祭神はスサノオに替わった。

ところが、また大国主に替わった。

祭神が替わるということは、政治的にあり得る話なのかも知れない。それはこれまで、ほかの神社でも見た。しかしいま、当の大国主は参拝者にそっぽを向き、外された父のスサノオは後ろに隠れて正面を向いている。

それに、そもそも出雲大社は、国譲りをした大国主の神社ではなかったのか？

「これじゃ、まったく整合性がないじゃないですか？」

釈然としない表情で詰め寄る賢司に、三浦は落ち着いた様子で二人を見回した。

「その通りです。それが正解なんです」

えっ？　一体、何をいっているのだろうか——。まったく解せない。

「要するに、大国主もスサノオも、単に創造された物語上の神さまということです。天皇家に破れた豪族たちが大国主として習合されたんですよ」

「だとすると、父、スサノオは？」

「天皇家が国を平定したあとは、以前からの住人とうまくやっていかなければなりません。そのとき、最も容易なのは、天皇家と住人は同じ民族だと信じ込ませることです」

腹の底に、何かがコツンと落ちたような気がした。

「アマテラスと大国主が親戚だとするために、アマテラスの弟で大国主の父のスサノオが考案された、ということですか？」

「その通りです」

賢司の問いに三浦は頷いたが、ナオミはスッキリしない表情のまままき返した。

「では、なぜ大国主は、そっぽを向いているんでしょうか？」

「それは出雲大社が明確に答えています。つまり背後の社殿におられる父スサノオに、お尻を向けたくなかったと」

三浦は手もなく躱すと、余裕の笑みを見せながらいった。

「さ、私は次の約束がありますので失礼しますが、よろしければ一緒に参拝しましょう」

二人を拝殿内に招き、静かに正面を向いた。

「出雲大社ではほかの神社と異なり、二礼二拍手一礼ではなく、拍手(かしわで)は四回打ちます」

「何か意味があるんですか?」何気ない口調できく賢司。

「定説はありませんが、『四』は日本では『死』を意味することもあります。ですので、殺された大国主を鎮魂するため、というような説もありますが。――でもまあ、この説では、この参拝方式をとっているほかの有名な神社がありまして、それについての説明ができなくなってしまいますがね」

賢司もナオミも、尖った視線を三浦に寄こしながら同時に尋ねた。

「その神社とは?」

「八幡総本宮(はちまんそうほんぐう)の宇佐神宮(うさじんぐう)です」

その名をきいたとき、二人の視線が一瞬重なった。

何かある――。

殺した声で、同じ言葉を同時に呟いていた。

「秦氏――」

しかし、三浦はそれには気づく由もなかった。

価値の価値

五回目の電話だ。

小橋は父からの電話の振動パターンを、逡巡しながらしばしの間ポケットに感じていた。

もうこれ以上無視できない。決心して受信ボタンを押すが、初め、何もいうことができなかった。

「直樹か？」

「――はい、お父さん」

やっと声が出たが、微かに後ろめたい気持ちが滲んでいるのが自分でもわかった。

「あんな退職の手紙なんか置いていって、心配していたんだぞ。あれは私が預かっているから、いつでも戻っていらっしゃい」

「でも――、日本人が日本人でなくなり、日本が日本でなくなってしまうんです」

「いいか。直樹の考えていることは悪くない。実際、お父さんもそう思うところもある」

ここで小橋は硬い声で遮った。

「しかし、教育もメディアも外国が牛耳っている以上、神道を復興するためには、日本のこころを復興するためには、もう行動するしかないんです」

しかし宮司の声は落ち着いていた。ひと息吐くと、いつものように諭すようにいう。

「まあ、そう早まるな」

「彼らは勘違いしているんです。合理的な考え方が、いつも非合理的なものに勝っていると。彼らは気づこうとしないんです。彼らの合理的な結論とは、本当は人間が予見できない将来を彼らが知れる、コントロールできるという愚かな思い込みの上に成り立っている、無謀な賭けであることを」

父に対して初めて反抗的なことをいった。しかし、そんな自分に少し驚きながらも、炎のように込みあげてくる感情はもう抑えきれなかった。

「その通りだ。だが――」

宮司は小橋を落ち着かせようとしたが、小橋は再び遮る。

「だから彼らには知り得ないんです。長い歴史のなかで、人間が理性によって首尾一貫した倫理や道徳や正義の体系を意図的に創造したことは一度もないし、これからもできないことを」

「それは、」

「だから彼らには気づくチャンスさえないんです。自分たちの社会のなかでの営みが、誰が、いつ、どこで、何の理由でつくったかさえわからない、日本社会の秩序、規範、倫理、日本人が持つ道徳感や正義感から、どれだけ莫大(ばくだい)な恩恵を受けているのかということを。だから彼らには謙虚になって感謝を捧げる機会さえないんです。たとえ価値が理性の産物でなくとも、日本の先人たちの行動の〝結果〟であるこうした価値こそが、〝立派でありたい〟〝尊敬されるように生きたい〟と願うすべての日本人に、人生の目標の一部さえ提供していることを。人一倍自由の恵みに与って好き勝手なことをいっているくせして、奴らにはその社会の礎石である価値の価値に気づく方法すらないんです‼」

胸に溜まっていたものを一気に吐き出すと、今度は荒れる息をゴクンと呑み込んだ。

「直樹のいっていることは、お父さんも間違っていないと思う。人間が、道徳や倫理や正義を創造したり検証したりすることなど、そもそもできるはずもない。理性は文明そのものを意図的に創造できないし、その価値体系も結果が与えた知識で、むしろ我々の理性の前提だからだ。将来を予見できない人間にできるのは、自分たちの伝統や社会や行動のなかに発見することだけだ」

「じゃあ、何で止めるんですか。外国と結託して、暴力的に価値を破壊する奴らを止めるのを。思い上がった奴らが、日本を破壊するのを止めるのを。価値の淵源にあるのが、伝統であり、秩序であり、文化であり、国体であり、神道じゃないですか。だから、私は彼らを排除するために立ち上がるんです」

小橋は、どんどん強い口調になっていく自分に気づいた。

「その気持ちはわかる。しかし、我々は神職だ。そのことを決して忘れてはならん」

「だ、だから、辞職願を出してきたんです！」

安堵

「終わりました」

三浦は険しい表情ながらも落ち着いた口調でひと言だけそう報告した。

電話口の向こうには、いつものように緊張した沈黙だけが流れていた。

「主祭神に興味があると話し出したので、いくつかの説を組み立てて、スサノオは創造した神、大国主は習合した神に。信じたと思います」

疑い深そうに、男はまだ何もいわない。

「たとえ信じなくとも、あのまま調べても何も発見できないでしょう。いつものようにそのまま迷宮入り――。このあとは間違いなく籠神社に向かうと思います」

「そうか――。その件はすでに手を打ってあるから大丈夫だ」

やっと電話口の向こうで、斎主が安堵の吐息を洩らした。

産霊の迷い

小橋宮司は、力を声に込めながら小橋を諭した。

「お父さんはその退職願をまだ承認していないし、その気持ちを否定するつもりも毛頭ない。いいか、いま直樹が悩んでいることは、多くの神職が悩むことだ。いまの外国を崇拝したような合理主義では、日本の価値観をただ壊しているだけだ。それに取って代わる新しい価値体系なんか、何も創り出すことなんかできるはずもない。人間の理性を、まるで宗教のように教条的に信じ切った人間の浅はかな傲(おご)りだ」

宮司はひと息ついた。今度は少し落ち着いた口調でいう。

「でも、理性は人間が持つ最も尊い財産だと、お父さんは思う。ただ、理性が全知全能でないことを忘れ、理性自身が主人となってみずからの発展さえ支配できると考え価値を破壊すれば、やがてみずからをも滅ぼすだろうということだ――理性も価値観も、文明や社会の外側に存在する客観的なものではなく、結局は、内側にしか存在し得ないある状態の一部分に過ぎないのだから」

「だから、失う前に――」

今度は、宮司が遮る。

「我々は神職だ。政治家ではない。常に人間が、自分たちでは完全には自由にならない社会や伝統や秩序や価値の移り変わりのなかにあるように、神道もまた、その移り変わりのなかにあるんだよ。その移り変わり自体は、神道が決めることではない。我々ができることは、神を信じ、社会や国民のために祈ることなんだよ」

小橋は押し黙った。父のいうことは理解はできる。しかし、ただただ憎かった。

価値を破壊し、神道を気づかぬように少しずつ国民から遠ざけている外国勢力と横暴な合理主義が。本当は知っていないことを、誰にとっても不可知であることを、自分たちは知っていると思い込んでいる思い上がった奴らが。

この怒りをどこにぶつけていいかがわからなかった。

眉間に皺を寄せながら、奥歯をぐっと嚙みしめる。

しかし、深い胸の奥にある想いを初めて吐露した小橋に、宮司はこれまで当たり前すぎて気づかなかったことを告げた。

「お父さんは、直樹がきっと、万物を産み出し成長させる神道の産霊（むすひ）のこころと力を思い出して、その憎しみの向こうに、新たな希望を見い出してくれることを信じているよ」

その言葉が、小橋の急所を突いた。

激しい言葉で怒りを出しきったこころに、父の想いはゆらりゆらりと舞い降り、やがて一番深い底の部分にピタリと貼りついた。――なんて、優しい言葉だろうか。

同じように理不尽さを感じているのに、一体どこからこの優しさが来るのだろう？

もしかして、その産霊？

産霊。生命のないところから、新たな生命をつくり出し育てていくちから。そして生命のないところから自ら萌（も）え出て、命のあるものを産み出し、成長を司（つかさど）る日本の神々。

神道は産霊の概念を最も大事にし、生命の繁栄にかなうものを〝よし（善）〟として、かなわないものを〝あし（悪）〟としてきた。

日本人の道徳的善悪とは、もともと、産霊の概念から生まれたものだ。家庭においても、社会においても、より良い関係を築いて生命力が満ち溢れた社会に導くことが、産霊の、神道の〝よし〟のはずだった。

憎しみ、恨み、怒りからは、生命力は生まれない。これでは、〝あし〟ではないか——。

考えてみるまでもなかった。父のいう通りだった。

神職である前に、自分が神道の産霊を信じている一人の人間だったことを、いまさらながら思い出す小橋。やりきれない憤激の念の奥底に、自分でも説明のつかない、僅かな迷いが生じていることを感じ始めていた。

作戦中止

郭大使は深く隈の入った目元を緊張させながら、ううん、と鼻から一つ息を吐いた。低い響きには非難めいたものが滲んでいる。郭大使はそれを隠そうとせず、今度は唇を硬くへの字に曲げた。

その一挙手一投足に神経を尖らせながらじっと見ていた周領事は、陰鬱な圧迫感に耐えきれず、とうとう冷めかかったお茶を口に含む。直後に昨日までの熊猫茶とは異なる、安物の茶の渋みを喉ごしに感じたときだった。

「この作戦は中止する」

郭大使は冷たい口調でいきなり結論から切り出してきた。

いまだ、胆汁が込み上げてきたような表情だ。周領事が身動きできずにいると、郭大使は自分を咎めていると見せながら、周領事を非難するような口調でいい放った。

「やっぱりこんなトンデモ話を、大した根拠もなく信じた私が甘かったんだよ」

その顔には、イスラエルが血眼になって探し回っているという情報に焦り、この作戦に飛びついたことへの後悔が露骨に現れている。しかし周領事は、そんな郭大使の心情に勘づきながら、切り返しの機を虎視眈々と狙っていた。

勝算は多少なりともあった。今朝ヴォルターが送ってきた新しいレポートには、完成前のものと前置きしながらも、驚くべき情報が含まれていたからだ。

あれは、間違いなく日本にある――。あとは、それをどう伝えるかだけだ。

「そもそも、八咫鏡が十戒の石版だなんて……」

郭大使は、そう吐き捨てた。そんなことを信じた自分が恥ずかしいとも。

周領事は以前、十戒の石版の本質は、神との契約と照らし合わせて自分の行動や心を〝映す〟ことであると伝えていた。だから鏡と石版は形状こそ異なるが、目的や本質は同じであると。鏡が石版のカモフラージュとして使用されることに、宗教的な矛盾は何もないと。

表情から察するに、どうやらその話が郭大使の心のなかで決め手となったのであろう。

しかし郭大使の怒りの矛先が八咫鏡伝説の真偽にあるとわかると、周領事はそれを逆手に逆寄せし始めた。

シナイ山で神から与えられた十戒の石版を持つモーゼ

「実は、その八咫鏡には目撃情報があったんです——」

郭大使は一瞬、放心したような顔つきになった。

が、すぐにその目が猜疑（さいぎ）の目となる。

「八咫鏡は、伊勢神宮内宮の宮司どころか、天皇でさえ見ることを禁じられている秘中の秘のはず。目撃証言などあろうはずはない」

だが、周領事はサラリといってのけた。

「昔、八咫鏡にはヘブライ語が書かれているという噂を耳にした明治天皇が、青山学院大学の左近義弼（さこんよしすけ）というヘブライ語に精通する教授に、極秘に解読の依頼をしました。で、数十年後、その関係者が、噂は本当で、やはりヘブライ語が書かれていたと発表したんです」

郭大使の頬が瞬時に紅潮する。やっと出た声で、

「へ、ヘブライ語だと!?」と叫んだ。

「はい。しかも、とんでもないことが書かれてあったんですよ。ヘブライ語で……『わたしはある。ありてある者だ』と書いてあったと報告したんです！」

地の底に響くような唸り声を、郭大使は洩らした。

「……か、神の名か?」

神の名、『エヘイェ・アシェル・エヘイェ(わたしはありてある者)』――。

それは、神がイスラエルの民に対して名乗った自身の名であり、ヤァウェ(YHWH)の語源でもあった。

『出エジプト記』になって初めて聖書に記述されたその御名は、神の、モーゼの質問へのこたえだった。言い換えれば、聖典の民の始祖アブラハムが神に導かれてからモーゼまでの数百年間、イスラエルの民は自分たちが信じる神の名さえ知らなかったのである。

エジプト脱出後、シナイ山で現れた神にモーゼはその御名を尋ねた

逆説的にいえば、それはこの御名が、それほどまでイスラエルの民にとって、尊く、神聖なものだからであった。忌避するほどに、畏れ敬っているのである。

あなたは、あなたの神、主の名をみだりに唱えてはならない――。

十戒の石版に刻まれた神からの戒めが、それを如実に表していた。

実際、この御名を自分に対して使い、処刑されたものがいる。――イエス・キリストである。イエスへの保守派の反感は、イエスが自分に対してこの御名を使ったことにより、一挙に高まったのだった。

郭大使はいつものように、窓の外の緑に焦点がずれたような視線を転じた。

周領事はその表情を余裕を持ちながら見つめると、追い打ちをかけるようにいい立てた。

「しかも、いみじくも、伊勢神宮自身がそれを認めているのです――」

隠された社

「ねえ、ところで、さっきの三浦さんの話って、どう思った？」

籠神社までの道のりをカーナビで確認しながら、賢司が何となしに尋ねた。

「私は信じていないわ」

即答したナオミは、吐き捨てるような言い方だ。

その口調に驚いた賢司は、ナオミに投げた視線に意外さを滲ませる。

「どうして、そこまでいいきれるの？」

するとナオミはタブレットの写真を出し、語気を強めながら、

「だってこの出雲大社の全体写真を見て。あの不思議なスサノオの社殿ってどこにある？」

賢司はその口調にまだ違和感を覚えながら、差し出された写真をチラッと覗き見た。

出雲大社境内の空撮写真より作成
©Gakken/amanaimages

えっ？　ひっくり返ったような声が出る。

思わず二度見した。本殿裏にあるはずのスサノオの社殿が、まるで手品のように跡形なく消えているのである。全体図に描かれていた社殿は、鬱蒼と生い茂る八雲山の木々のなかに完全に埋もれていた。

「これは隠しているのよ、絶対に。昔は全体図なんてないし、裏山なんか禁足地だから入れないもの。それに、何かヘンだからいま調べたんだけど、十世紀に朝廷が作成した最も古い『延喜式神名帳』という全国の神社リストにも、このスサノオの神社は記載されていないの。出雲はスサノオの故郷で、もともと出雲国造自身が祀っていた神のはずよ？　こんな風に隠さなくてもいいでしょ？」

確かに――、そう、口籠もりながら、賢司は虚ろな視線を前の車に戻した。

入れ替わった主祭神の話を思い出しながら、ポツリと洩らす。

「いるね、この裏に、誰かが――」

ナオミは探るような視線で、直接賢司の横顔を見た。

「ええ、絶対に。でも誰かしら？」

「――それはわからない」

賢司はゆっくりと首を横に振った。

「実は、スサノオは、朝鮮半島から来たという説があるのよ。隠したいのはだからかしら？」

しかし賢司は、それは正直、あり得ないと思った。

「その説には決定的な矛盾があるよ。なぜ朝鮮からの渡来人が、朝鮮半島にない神殿に祀られているのかということ。たとえスサノオが朝鮮半島から来たとしても、それは通り道だよ。起源ではない。誰であれ、その点をクリアしなければ説得力がないね」

「あっ、そうね、確かに――。でも、だとするとスサノオって誰かしら？」

賢司は、また前の車のナンバープレートをボーッと見ながら、首をそっと傾げた。

「わからない。――でも、手がかりはあるよ」

「あの四回の拍手ね？」

いったナオミの目には、僅かな希望が露わになっている。

「そう、宇佐神宮。秦氏の地元の八幡総本宮。出雲大社か宇佐神宮の、どちらが四回の拍手の真似をしたとしても、秦氏がそれに関わっている。つまり秦氏の木嶋神社の謎を解けば、出雲大社の謎も解けるということだよ」

賢司もその声に期待を込めた。

「そうね、きっと。ということは、やはり手がかりは秦氏が隠したあの長い名の神。そして、その秘密を握る籠神社――」

「そう。籠神社こそが、父が残した日本史の謎を解き明かす、最大の鍵なんだよ」

賢司は籠神社の宮司が、自分の叔父であることに希望を感じていた。

しかし、一体何がその口から語られるのか、まったく想像できないでいた。

代わりの船

皺の伸び始めた郭大使の表情に手応えを感じながら、周領事は静かに説明を始めた。

「内宮のご神体、八咫鏡は、小さな船のような形の入れ物に収められています。その下には二本の棒がついていて、まるで屋根のないアークのような形状です。で、その入れ物の名前が、御船代（みふなしろ）というんですよ。御、は尊称ですが、船代は代わりの船という意味です」

周領事は底気味悪い笑みを挟んだが、郭大使はまったく理解できないという表情だった。

「しかしアークとは、船という意味の言葉です。つまり御船代という意味は、なんと〝代わりのアーク〟という意味なんですよ！」

「何だと？――〝代わりのアーク〟のなかに、八咫鏡が収められている？」

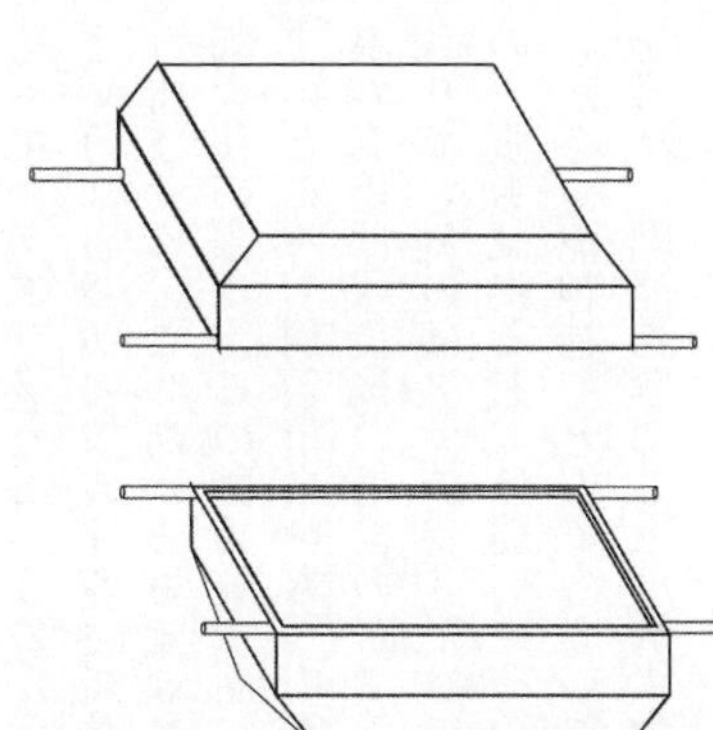
伊勢神宮内宮の御船代

御船代の一例（富山市四方の恵比須神社より）

驚いて二度見した郭大使の目は、飛び出るほど大きく開いている。だが、

「そもそもアマテラスのご神体の本体が、内宮にあるという話自体がデタラメなのです」

という周領事の言に、急に我に返ったような形相になった。

「そんなことまでいう根拠が何かあるのか？」

しかし周領事は、確信を郭大使に埋め込むかのように頷くと、断固たる響きでいった。

「はい、決定的なものが――。日本の神話では、アマテラスは日本に天孫降臨するニニギに八咫鏡を授け、『この鏡こそ、わたしだと思って祀りなさい』……『ともに床を同じくし、殿をひとつにして、祀る鏡としなさい』と命じたんです。当初はその通り宮中に同床共殿されましたが、第十代崇神天皇がこれを一方的に破り、八咫鏡を宮中から遠ざけてしまったんです。その後、いくつかの場所を転々としたあと、最終的にヤマトから遠く離れた伊勢神宮に追いやられるのです。——おかしいと思われませんか？　神道の最高神アマテラスの命にこれほどまであからさまに逆らってです」

短いタイムラグがあった。

「すべてがデタラメだというのか？」

「というよりはカモフラージュです。でなければ最高神に対するこんな侮辱——絶対にあり得ません。このあからさまな無視は、それを知らせるための暗号……」

郭大使の眼は、この謎めいた話に化かされたようにも見えた。

実のところ、周領事自身も、内宮のご神体がレプリカで皇居のものが本物であるという説の真偽は、最後の最後のところは判断しかねていた。日本書紀に伊勢へ遷されたと記されているのはアマテラスだけで、八咫鏡とは一言も書かれていないというヴォルターの主張も証拠としては弱い。その疑念を振り切りながら、

「しかも、籠神社でとんでもないことが判明したんです」

と敢えて語尾を強めると、郭大使は、やっと冷静さを取り戻したような表情で反応した。

YOD

神武の祖父（山幸彦＝ホホデミ）が曲玉を口に含んで、壺のなかに吐き入れると曲玉が壺底にくっついた

「というと？」

意外にも、その口調にはどこか期待が透け始めていた。周領事はそれを見て取ると、餌に食らいついた魚を引き上げるような気分で、また自説をひとしきりぶつ。

「日本の三種の神器の一つ、八坂瓊曲玉（やさかにのまがたま）の不思議な形はヘブライ語で神を表す文字、ヨッドそっくりです。これが何を表すか、以前からずっと気になっていました。で、調べていくと、日本の神話にとても奇妙な記述があったんです。――ある日、神武の祖父が、自分の首飾りに繋がれていた八坂瓊曲玉をほどいて口に含み、ある壺のなかに吐き入れたんです。すると、その曲玉が底にくっついて離れなくなってしまったというのです――」

郭大使は最初、意味も意図もまったく理解できないといわんばかりの眼で固まっていた。

が、食らいついた餌針を、自分からゴクリと呑み込むような勢いで質問してきた。

「曲玉と壺が一つになった。つまり、その二つは同じものということか？」

「さすが、郭大使——」

さらに緊張を緩めようと、周領事はなりふり構わず持ち上げる。

「私もそう考え、その神武の祖父を調べてみました。すると籠神社の極秘伝では、その祖父は籠神社の主祭神、ホアカリだということが判明したのです」

「籠神社の主祭神だと？」

「はい。その祖父の名の一つはホホデミ。八世紀まで、籠神社の主祭神はそのホホデミとして祀られていたのです。で、籠神社を徹底的に調べたところ、驚天動地の極秘伝を突き止めました」

「なんだそれは？」

郭大使は落ち着こうとしていたようだが、出てきた声は上擦っていた。

「籠神社の奥宮（おくみや）、真名井（まない）神社の〝真名（まな）〟とは、ユダヤの三種の神器のうちの一つ〝マナの壺〟の〝マナ〟のことだと。マナの壺は、以前、真名井神社のご神体だったのです」

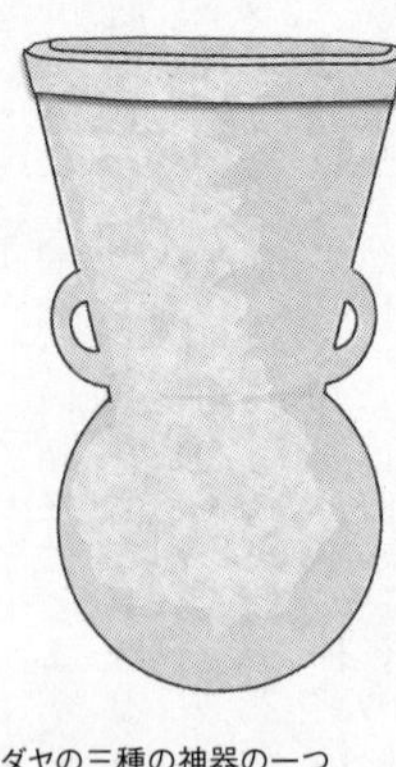

ユダヤの三種の神器の一つ
マナの壺

郭大使は信じられないという顔と沈黙で応えたが、なんだって？と弱々しく囁いていた。

その驚嘆しきった表情を勝利を予感しながらしばらく見入ると、周領事は今朝から決めてきた、ぐっと攻め込むための最後の決め言葉を告げる。

「そのマナの壺は、現在、伊勢神宮の外宮のご神体となっています――」

暫(しばら)く間を置いて、完全に受け身状態となった郭大使から長い唸り声が洩れてきた。

周領事は、内宮のご神体は八咫鏡だが、外宮のご神体は非公表だということは以前伝えていた。外宮の神豊受(トヨウケ)は、食物の神。これは荒野を彷徨っていたヘブライ人に、完全食マナを無限に与え続けたマナの壺ともマッチするし、そもそもマナ板というように、日本語でマナは食べ物を意味する言葉でもあることは、日本語を饒舌(じょうぜつ)に話す郭大使ならもちろん知っているに違いない。

しかも豊受は、籠神社からほかの神社には一切寄らずに直接外宮に遷座した神だ。

「確かに籠神社には、まだ何かがあるかも知れないな――」

おぼつかなげな口調で郭大使がそう洩らした瞬間だった。

すかさずその心の隙に、

「ターゲットは明日、籠神社に向かいます。我々のエージェントもいま、籠神社に向かっています。ぜひ作戦を続行させてください」

と、周領事は単刀直入に迫った。勝負のとき、と思った。

イエスかノーか。それとも――。

二千年の極秘伝

翌日参道の入口に立った賢司は、籠神社が予想外に明るい印象の神社であることに驚いていた。

ミステリアスなイメージをかき立てる言葉は、いくつもあった。

二千年の歴史を語り継ぐ古社。伊勢神宮両宮の神々がもともと鎮座しておられた、神々の源流ともいえる唯一の元伊勢。神道と天皇家の秘密を擁する謎の神社――。

しかし目の前の神社は、これまで見たどの神社よりも爽やかだ。

賢司は思った。恐らくは、この参道のせいだろう。清潔感溢れる明るい参道が、南の宮津湾に向かって一直線に伸びている。時代を超え、神妙な世界へと誘う通り道にはとても思えない。そればかりか、洋々たるエネルギーを内から放射する行路にさえ見え、まる

籠神社の入り口から

で初夏のベルサイユ宮殿の小路のようでもあった。

太陽神の神社——。自然とその言葉が口元から出てくると、賢司は正直、思った。アマテラスの内宮より、よほど日の神の社らしいと。

「丹後の地で最も格の高い神社。元伊勢である籠神社——、ということが書いてあるわ」

両脇の石柱に刻まれた文字を、ナオミが読んでいた。

やがて二人は、清々しくもある参道をゆっくりと歩き出した。二千年の謎に迫り寄る期待と不安を同時に感じながら——。

二の鳥居をくぐり、左手の手水舎でお浄めを済ませ、立ちふさがる神門の前に立った。

再築されたばかりなのだろうか、明るい感じの神門はまだ新しい。涅色がかった黄金色に輝いていて、鳥居越しに見たときより遙かに存在感がある。その威厳は正面を飾る奉納幕によって強調され、そこには天皇家と同じ十六弁の菊花紋が二つ、大きく描かれていた。

二人は神門を通り抜け、すぐ前の拝殿で参拝を済ませる。

籠神社神門

ナオミは賢司に目で合図すると一人の巫女に近づき、

海部宮司に会いたいと願い出た。巫女が境内の奥に下がると、ほどなく初老の男性が出てきた。

純白の白衣と、複雑な薄金色の模様の入った深紫色の袴。短い白髪が似合う面貌から、鋭い眼光が放たれている。隙のない身の捌きと滲み出るような清潔感に、どこか二千年の歴史の深さを感じさせていた。

信仰に対する考えの違いから、父とは距離があったという叔父。受け入れてくれるだろうか？　それとも、秘密を探りに来た厄介者として見ているのだろうか？

「賢司、本当にしばらくぶりです。ようこそ籠神社へいらっしゃいました」

意外にも、そういってこぼれた宮司の笑みは屈託のないように見える。差し出された手に感じた温もりも、ごまかしようのないものに思えた。

二人は挨拶を済ませると社務所に招かれ、奥のテーブルで濃いお茶がもてなされた。

宮司は潤んだ眼で父を偲ぶ昔話をしていたが、一巡したのを見計らって、賢司は顔色をうかがいながら本題を切り出した。

「父は、ユダヤ教のラビと一緒に殺害されました。恐らくは殺害理由は宗教的なことだと思われますが、叔父さんは何かお心当たりはありますか？」

自然と、期待に賢司の眉根が立ってきた。

一瞬、時間が静止したような間があり、宮司の視線がわずかに鋭くなる。

だがすぐ、宮司は目を伏せると首を傾げた。

「いやあ、私には、さっぱり見当がつきませんね。なんで、あんなに優しい兄が……」

膨らんでいた期待が多少萎んだ。思わず、賢司の目から力が抜ける。言葉使いは優しいが、最もききたくなかった言葉だ。

しかし叔父の態度には、どこか父に対する人間としての尊敬と愛情を感じられる。少なくとも、そう思えた。

「父は神道とユダヤ教の関係について調べていたようなんですが、何かご存じのことはありませんか？　もしくは父が興味あって調べていたこととか」

「神道とユダヤ教についてはいろいろいわれていますがね、私自身は信じていません。ですから兄とはこのことについてまったく話はしなかったし、兄がそんなことを調べていたことも、つい最近まで知らなかったんですよ」

「そうですか――」

思惑外れの返事の連続に、賢司は落胆の気持ちを正直に滲ませた。

しかし本当だろうか？　そんなに慕っていた自分の兄が何を研究していたのかをまったく知らなかったなんて――。

俄に霧のように湧いてきた疑心を感じながら賢司はリュックからメモを抜き出し、再び期待を込めながら尋ねた。

「実は、父と一緒に殺害されたラビが、四つの文字を入れるボックスをメモに残していまして、僕たちはそこに神の名が入ると考えているのですが、何かお心当たりはありますか？」

宮司は無表情のまま頭を前に傾け、差し出されたメモを一瞥した。

が、咄嗟の間、視線を脇にそらすとまた力なく首を捻った。

「私にはなんだかよくわかりませんがね――、でも、もしかしたらＫＡＭＩではないでしょうか？　日本語で神という意味です」

神――。

今度は賢司が力なく首を捻る番だった――すべての想定と期待を下回るその言葉を小さく呟きながら、次の言葉に詰まっている。下っ腹の力が抜けていき、一気に意気消沈する目のやり場にも若干困った。

とはいえ、宮司の目は、何かを隠そうとしている目にはやはり見えない。だが、本当にそう思っているのか、信仰心がそうさせているのかは判断がつかなかった。

しかし、これだけはいえそうだった。――進みたい方向には、何か見えない歴史の厚い壁のようなものがある、と。

考えあぐねる賢司を横目に見ながら、ナオミが話題を変えてきた。

「真名井（まない）神社のご神体は以前はマナの壺で、それは現在、伊勢神宮の外宮のご神体になっているという話をきいたことがあります。宮司はそのことについてご存じですか？」

湯呑みを口に運ぶ宮司の手が止まった。

「それはきいたことがありませんね。若い頃は私も留学していましたし、籠神社のことにはまったく関わっていなかったんですよ。それに、外宮のご神体は公表されていませんしね」

また、肩すかしを食らったような気分だった。――叔父の話は本当だろうか？　判断する知識がなかったが、ハッキリしたのは、このまま続けても求めている答えは出てこないということだ。

賢司は方向性を変えて、神道について尋ねてみることにした。

「では、神道についてききたいのですが、父は生前、日本には〝元初の最高神〟があられたといっていたようなんですが、そのことについてはご存じですか？」

「ええ、もちろん。それは、籠神社の極秘伝として伝わってきたことです。賢司の祖父であり、私たちの父である先々代の宮司が生前公表したことなんですよ」

心なしか硬さがとれたような気がした。――すでに公表された情報だからだろうか。

「で、その神の名は？」

神の法則

身を乗り出す賢司とナオミに、海部宮司はまったく口調を変えずに続けた。

「その〝元初の最高神〟の神とは、豊受（トヨウケ）、つまり天御中主神（アメノミナカヌシ）です。真名井神社から伊勢神宮の外宮に直接遷座した」

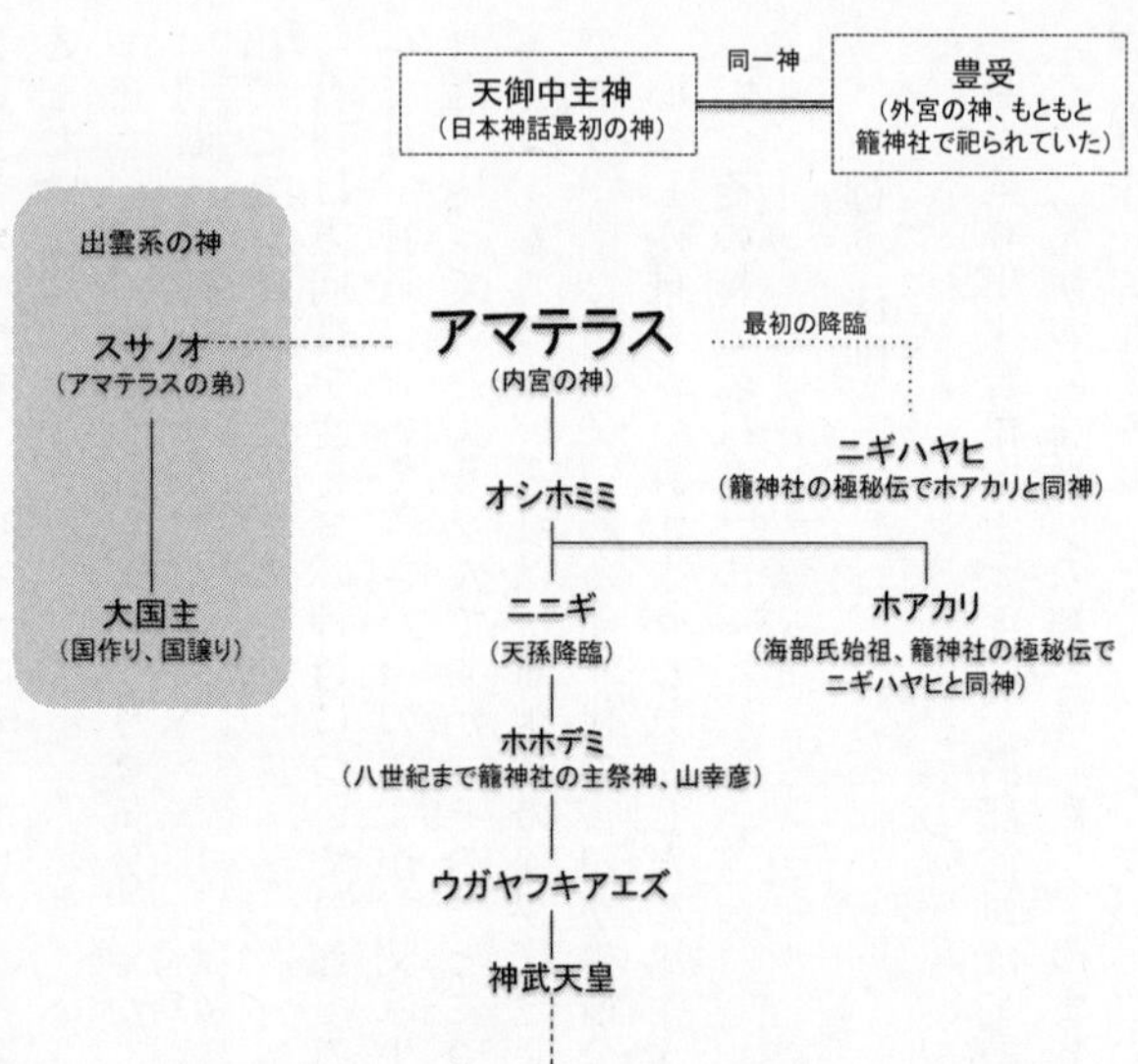

やっぱり、天御中主神――。日本神話の最初に登場する神――。

賢司がリュックから引き出した系図を睨んでいると、ふいにナオミが詰め寄った。

「大宇宙の中心に在られて主宰する神。――ということは、大嘗祭の神座にあられる神も天御中主神ですか？」

僅かの間、宮司の動きが止まったような気がした。だが、

「それは、私にはよくわかりません」という言葉に、その場の緊張感は一気に張り裂けた。

宮司は笑い飛ばしながら、その白けた空気にいい添える。

「天皇家の秘儀ですからね。しかし常識的に考えれば、最高神アマ

テラスが神座におられる。最高神であるために、あえて記述する必要がなかったということではないでしょうか」

しかし、ナオミは食い下がった。

「でも、神座は一つ。そのとき、大宇宙の神、天御中主神はどこにいるのですか？」

「天御中主神は、大宇宙の中心に在られる神。あえてその神座におられる必要がないのかもしれませんね。ただ、これは籠神社の先々代が公表した極秘伝の一つなのですが、例えばアマテラスといっても、みなさんが考えるような一柱の神ではありません」

宮司はすげなく返すと、横の卓子から筆を持ち出し、深沈たる面持ちで墨をすり始めた。

「これを理解するには、父が公表した『神の同時存在の法則』を、まず理解しなければなりません。二千年もの間、父が公表するまでは籠神社の秘中の秘でしたが――」

『神の同時存在の法則』？

これまで見聞きしてきた神道とは似ても似つかぬ言葉の登場に、賢司は身構える。

その目は、半紙の上で踊り回る宮司の筆先に注がれていた。

一、神は別名の分身つくるが能ふ

一、神は時空をこえて存在するが能ふ

一、同名をもつ神はもとは同神なり

「分身をつくるですか？　異なる名前を持つだけではなく？」

意外な表情で尋ねるナオミ。

「一つ、例を紹介しましょう。例えば、神道には一霊四魂とか、分魂とか呼ばれる考え方がありましてね、魂が天と繋がる直霊と呼ばれる一霊と、その霊によってコントロールされる四つの魂から成り立っていると考えられているんですよ」

宮司はまた筆をとり、

荒魂、和魂、幸魂、奇魂

と書いた。筆をゆっくり硯の上に戻しながら説明を続ける。

「荒魂というのは祟ったりする神の荒々しい魂で、疫病や天変地異などを引き起こす魂をいいます。和魂というのはその逆で、優しく平和的で恵みやご加護を与えたりする魂。幸魂は、人に収穫や幸をもたらす魂。奇魂は、観察力、分析力、理解力などから構成される知性を持つ魂です。

ところが神道というのは厄介なものでして、それぞれの魂を持った神が、まるで独立した神のように一人歩きするんですよ。

例えば、アマテラスの荒魂は、伊勢神宮でも別の神として荒祭宮という別宮に祀られています。また国譲りをした大国主にいたっては、その和魂は、日本書紀で大神神社の

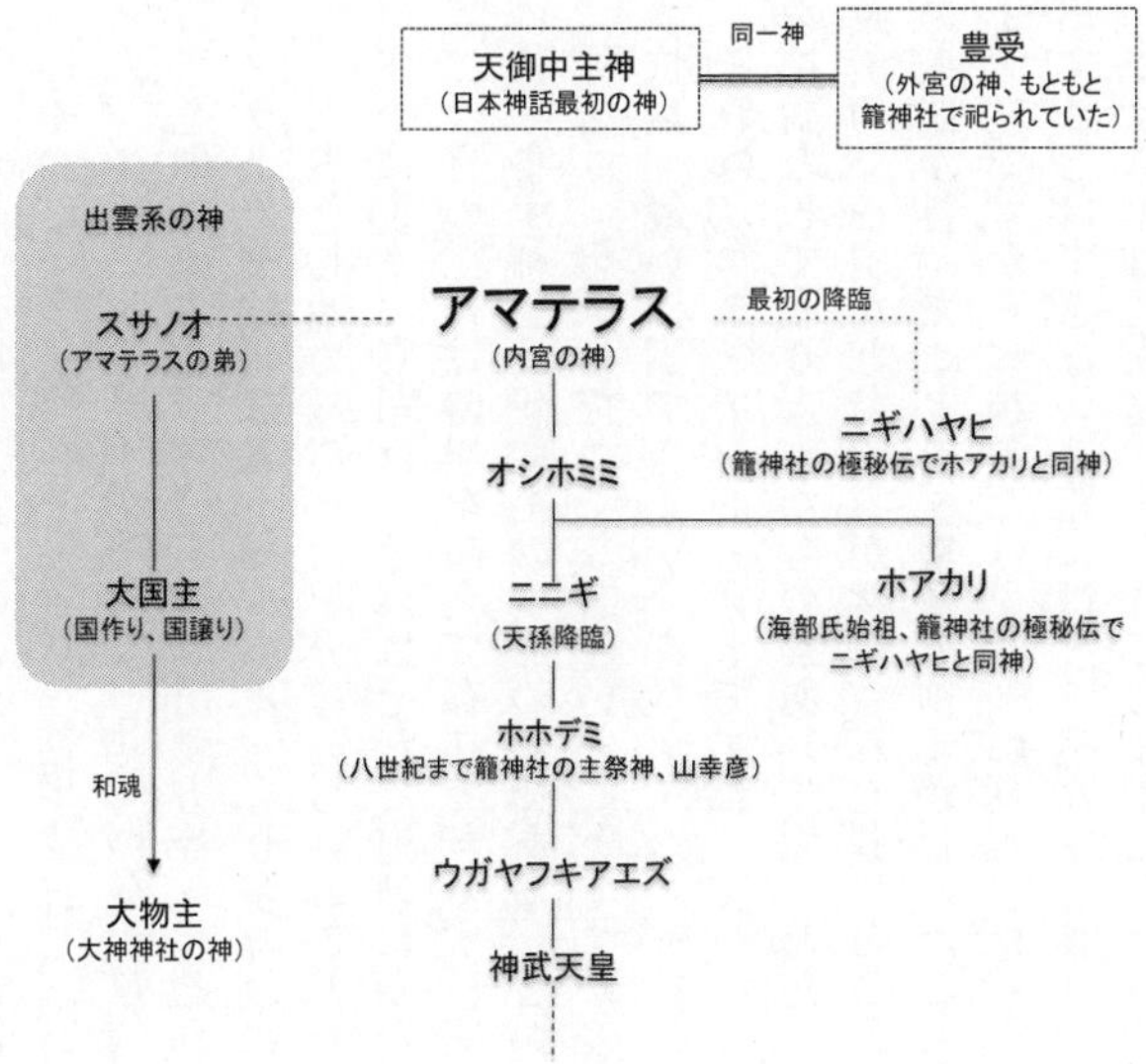

大物主（オオモノヌシ）という名の神とされています。しかし、この二神はそう教えてもらわないとわからない、神話的にもまったく別の神なんです。

こうして、さまざまな氏族がさまざまな神を別々に祀り上げ、それが長年の間に完全に独立した神になってしまう。でも、のちになって調べたら、実は同じ神だったということもあります」

賢司が頷きながら大物主を系図に書き込む。

「反対に、異なる神を集合させた、ということもあるんじゃないですか？」

「ええ、それもよくあります」

「その辺は、ユダヤ教とはまったく異なることですね――」

どこか語勢の抜けた賢司の言葉に、ナオミが鋭く反応した。

「いやっ、ユダヤ教だって聖書に登場する神の呼び名はヤァウエ、アドナイ、エル、エロヒム、エル・シャダイがあるし、比喩的な美辞句には、いと高き神（エル・エルヨーン）、平和を創造する方（ヤァウエ・シャローム）、万軍を創り出す方（ヤァウエ・ツァバオート）、熱情を産み出す方（ヤァウエ・カナー）等々、それこそ無数にあるわよ。イスラム教だってアラーの美辞句は九十九もある。もし多神教に陥れば、これらの名が独立した神として一人歩きし始めることは十分考えられることだわ」

確かに——。賢司は、それはそれで道理にかなっていると思った。

「二つ目の、神は時空を超えて存在できる、に関してですが、日本神話を理解するためには、まず神話は想像上の世界の話である、ということを理解しなくてはなりません」

「神話は、想像したつくり話ということですか？」

依然、鋭い口調できくナオミ。

「それはイエス・アンド・ノーですね。まったく想像した話もあれば、歴史に基づく話を神話として取り入れたものもあります。ただ、そういう場合でも理解しやすくしたり、政治的な理由などで内容が変更されたりすることもありますね。例えば、もともと一人の人間が行ったことを、複数の神々が行ったこととして話を分けたり、その逆もあり得ます。ですから、神話だけをもとに真実を探ろうとすれば五里霧中となり、決して抜け出すことはできない迷路にはまり込んでしまうのですよ」

「では真実は、永遠に失われてしまった？」

賢司の問いに、宮司はしばらく黙した。なぜかニヤリとする。

「いや、そうとも限りません。――その逆を行えばいいのです」

すかさずナオミが、その言葉をそのまま覆いかぶせるように問い質した。

「その逆を行う、ってどういうことですか？」

「古事記や日本書紀の神話を、それ以外に残っている資料や考古学的な事実と照らし合わせて、史実を抽出していくことです」

「そんな資料ってどこに残っているのでしょうか？」

ナオミは一歩も引かない形相だ。

宮司も動ぜず、「古い神社です」とキッパリというと、また落ち着いた口調で続けた。

「朝廷が古事記、日本書紀を編纂したとき、多くの神社から家系図や文献を押収し、矛盾があるものは破棄しました。しかし、すべての神社が応じたわけではなく、残った資料も多くあります。それらと照らし合わせていくわけです。国宝海部氏系図も一例ですが――」

なるほど。多数の神社に分散された歴史の記憶が、ブロックチェーンのような改ざんされにくい一つのシステムをつくり上げているということか。確かにそれは、学術的にも意味のある作業だと賢司は感じていた。

宮司が、もう一度筆をとった。

「で、三つ目の法則は、神の御名に同じ部分があれば、それらの神は同神かその分身、つまりもとは同じ神であるという意味です。例えば天孫降臨をしたニニギですが、正式名はこう書きます――」

テロリスト

ヘラー氏は飛行機の中で、モサドからのメールを読んで驚いた。

ナオミのリクエストに応じて調べたイラージ・カーニに関するプロフィールだった。

それによるとイラージの母はイラン人だが、父はシリア人だった。

イラージには犯罪履歴はなかったが、兄はシリア側からレバノンのヒズボラに協力していた活動家で、世界中のイスラム過激派組織とも繫がっている人物として西側諜報機関やインターポールからもマークされている男の一人ということだった。

弟のイラージは特に政治的活動は報告されていなかったが、CIAは兄の活動を知りながら、イラージがまれに見る天才ということで米国内での留学と就職を認めた。しかしさすがにNASAへの就職までは認められず、横やりを入れたとのことだった。

ヘラー氏は小さく息を吐きながら悩んだ。あの数時間の出来事からも、ヘラー氏には、賢司がイラージに対して特別な友情と尊敬の念を抱いていることに気づいていたからだ。

これを賢司に伝えるべきかどうか――。

太陽の数

天邇岐志国邇岐志天津日高日子番能邇邇芸命

賢司は、またまた登場したその長い神の名に圧倒されていた——これが本当に名前？

「こう書きますがね、ご覧のように、これだけだと何が何だかさっぱりわからない。ところが、実は、このように分解できるんですよ」

宮司は再び筆を滑らせた。

天邇岐志国邇岐志・天津日高日子・番能・邇邇芸命

「これらの御名と同じ御名を持つ神がおられたら、たとえ時空を超越してでももとは同神であるということです。例えばニニギの子、ホホデミの正式名はこう分解できます」

天津日高日子・穂穂手見命

「しかし最初の部分、『天津日高日子』の部分は、どちらの神にも出てきます。つまりはニニギとその子ホホデミは、もとは同神ということです」

親と子がもとは同じ神？　日本神話の系図は、デタラメということか？

叔父の言葉の意味は理解できたが、その本当の意味はまだわからなかった。

「そして、ホホデミの子、ウガヤフキアエズの正式名はこのように分解できます」

天津日高日子（アマツヒコヒコ）・波限建（ナギサタケ）・鵜葺草葺不合命（ウガヤフキアエズのミコト）

「ところが、ここにも『天津日高日子』があります。つまりはウガヤフキアエズももとは同神」

二人は上ずったような呻き声を洩らした。だが、間を置かず、また宮司が筆を動かす。

神日本（カムヤマト）・磐余彦（イワレビコ）・火火出見尊（ホホデミのミコト）

「これは神武天皇の一つの名前ですが、最後の部分を見てください。〝ホホデミのミコト〟です。即ち（すなわ）神武天皇の諱（いみな）、つまり実名はホホデミ。つまり神武天皇も神としては同神」

二人は完全に混乱し、まったく動けなくなってしまった。

「こうしていくと、アマテラスから神武天皇までの系譜はこのようになります」

アマテラス－オシホミミ－ニニギ－ホホデミ－ウガヤフキアエズ－神武（じんむ）

↓

アマテラス－神武（じんむ）

賢司は、出てきそうだった何かの言葉を思わず呑み込んだ。その目は、系図が表すひっくり返ったような世界を見つめている。

たまりかねたように、ナオミが問い詰めた。

「これって一体どういう意味ですか？」

「これが、神話の不思議な世界ですよ」

意味不明なことであったが、宮司はそういいきった。ナオミがまた詰め寄る。

「つまり、史実を理解しやすく物語化した。神々を創造して話を分けたということですね？」

しかし宮司は、なぜかそれにはこたえなかった。

宮司は唇を一度ぐっと噤（つぐ）むと、またゆっくりと語り始めた。

「『神の同時存在の法則』は、アマテラスから神武天皇までの系譜だけに適用されるものではありません。この法則をほかの神々にも適用して、同神の分身を還元させていったら、名のある多くの神々が収束されてしまうことが予想できると思います」

「では、宮司はこの神がどなたかご存じですか？」

ナオミは、木嶋神社で大竹からもらったメモをテーブルの上にそっと置いた。


〝天照國照彦天火明櫛甕玉饒速日尊〟


宮司は凝視するまでもなく、感情のない声でいった。

「もちろん。これはアマテラスの御名の一つです」

「アマテラスですか？」

「はい。最初に『天照』と入っているでしょう？　これが何よりの証拠です。どんな国にも、天を照らす太陽も太陽の神もひとりしかいません。二つの太陽があったら大変ですからね。日本も同じです。太陽神はただひとり。『神の同時存在の法則』からも同じことがいえます」

太陽神はただひとり——。

賢司は突然目の前の靄がスッと晴れたように、その説明に納得する。結論は明確だ。やはり、血の繋がった祖父が公表した籠神社の二千年の秘密、『神の同時存在の法則』の意味は大きかった。

叔父のいう通り、この法則を適用すれば、日本の多くの名のある神々は還元されてしまう。残った神々の中心にいるのがアマテラスなのだろう。父が残した絵も、アマテラスこそが最高神であることを示しているのに違いない。そして、その世界の前提となる大宇宙に在るのが、天御中主神(アメノミナカヌシ)なのだろう。

確かに天之御中主神はヤァウェに似ている。いや、実際日本に来たユダヤ人、ペルシャ人、アラブ人たちが、外国の考え方を積極的に吸収しようとしていた日本人に、一神教の考えを伝えたのかも知れない。でも、それは考え方だけが伝わったということ。

そんなことは歴史のなかではよくあったことだ。

これまで見てきた神社や祭りなども、この範囲内で十分説明できるだろう。やはり、ユダヤ人が天皇家という王家を開いたというのは飛躍しすぎだ。

細かく調べれば、矛盾点は多少あるかも知れない。しかし大枠としては、ユダヤ人が王朝を開いたのではなく、一部の考え方が日本に伝わってきたということに違いない――。

疑惑の霧が去った賢司の目を見た宮司は、早々に話を切り上げる。

「もしよろしければ、真名井(まない)神社をご覧になりますか？　ここから四、五分のところです。いろいろいわれていますがね、歴史と格式以外はごく普通の古い神社ですよ」

「やはり、昔はダビデの星が神紋(しんもん)だったのですか？」

「あれは日本に古来よりある、カゴメ紋という紋です。竹を編んだときにできる、網の目の模様です。しかしあまりにも問い合わせが多く、三つ巴(みつどもえ)紋に変更したと伝わっています」

決行

王からのメールに大音量で反応するよう設定してあったスマートフォンが、突然ガンガン鳴り出した。

デービッドは弾かれたようにソファからはね起きると、時差でまだ重い頭を振りながらスマートフォンに飛びついた。はやる指を抑えながらアプリを起ち上げる。

長いメールだった。

〝今日、決行する――〟

最初の行を読み始めたが、デービッドはいきなり思い立ったように王に電話をかける。

しかし――。

繋がらない。電源を切ってあるようだった。

それでも間を置かず、デービッドは王にメールを書き出していた。

蒼穹

「本殿は石段の上です」

境内に入ると、賢司たち三人は物憂げな鳥居をくぐり、参道の石段を上がっていった。

真名井神社参道

真名井神社はひとけがなく、簡素な神社だ。早鳴きのツクツクボウシだけが、高木の乾いた幹でたぎるように鳴いていた。

僻地の単線路を思わす狭く細い石段を半分ものぼると、正面に本殿が見えてくる。鬱蒼と生い茂る杜に溶け込むように、それはひっそりと鎮座していた。

時の流れに取り残されたその遺物は、社殿というよりは大きな祠ともいえそうな粗末な社で、侘びしくも寂しくもある。白木の正殿はいまにも朽ち果てそうで、せいぜい人々から忘れ去られた山あいの田舎神社にしか見えなかった。

石段を上り切ると、前に一人参拝者がいた。三人はその後ろに静かに並ぶ。

と、いきなりその男がクルリと振り返った。

咄嗟に賢司の頭が真っ白になる。――なに？　どうして？

「ワ、王！　なぜ？」

黒縁のだてメガネをポケットに仕舞い込みながら、王は沈痛な面持ちでじっと賢司の目を見つめている。――そのままの表情でしゃべり出した。

「賢司——、オレは謝罪しなければナラナイことがある」

「……謝るなんて別にいいよ」

初めに頭に浮かんだ言葉が洩れた。

でも、なんとなく王がいわんとしていることがわかった。

「オレは赤猫という中国のスパイだ——」

王は重々しくそういうと、もう吹っ切れたように話し続けた。

「オレの父は人民解放軍の将校ダッタけど、親日派の趙紫陽に近かったから、天安門事件で失脚シタんだ。以来、オレたち家族は政治的に日のアタラナイところで暮らしてきた。トコロガ、オレが賢司と友人だというコトをドコカラかききつけてきた中国政府が、ある日協力を求めてきた。オレはモチロン断った。シカシ、次は母をスパイ容疑で捕まえると脅してきた。スパイ罪は死刑にもナリ得る……オレは協力せざるを得なくナッタ」

真名井神社本殿

賢司は黙って目を瞑り、首を縦に小さく二、三回振った。王の母に対する思いが、何かにつけ頭をもたげる賢司の父に対する罪悪感を、どこかで揺さぶっていた。

「わかったよ、王。もういい。王も仕方がなかったということが、よくわかったよ。でもわざわざそんなことをいいに、ここまで来たんじゃないだろ?」

「ああ、ソレだったらニューヨークに帰ってからでもデキル」

王は賢司の背後の杜に視線を僅かにずらした。無線をつけたヴォルターが、片膝を地に着きながら銃を木に寄せて固定し、じっと狙いを定めている。

「実はお願いがアルんだ。お父さんが賢司に送ったアノ本の、最後のページの絵を渡してホシイんだ」

「え? そんな絵あったっけ?」

賢司は本当にその絵を見た覚えがなかった。

「ああ、オレはホテルオークラで絵を盗んだときチラッとミタ。ソノときは本の挿絵だと思っていたけど、アノあと、正式版の本にはそんな絵はついていないコトを大使館の奴らが発見シタんだ。アノ絵がついているのは、賢司の持っている一冊ダケだよ」

賢司は目を瞑ってじっと考えていた。

その様子を心許なげな眼で見つめながら、王は乱れた中国語で何かを呟いていた。

しかし――。

賢司は両目をぱっと見開くと、キッパリいった。

「それは無理だよ、王。だって、父の形見だもん」

王は、その言葉に覆いかぶせた。

「そこをナンとか――。相手にシテいるのは中国政府だ。個人で相手にデキル相手ではない。賢司のアンゼンのためにオネガイだ。その石頭を人生で一度だけマゲテクレ――」

追い詰められたような眼だった。王は瞼に力を入れて閉じる。頭をコクリと下げた。

しかし間を入れず、賢司は静かに首を横に振ると、「それは無理だよ」と、またいった。

「マズイ――」

唇を震わせながら王は頭を上げ、賢司の背後の杜に視線をずらす。

不自然な動きに気づいた賢司は、その視線を追って後ろを振り向いた。

ヴォルターだ。

次の瞬間、その神域で初めてきく乾いた音が響き渡った。

何かに激しく押し出されたように前のめりになる賢司。スローモーションのように王に寄りかかっていった。

「アブナイ！　二発目がクル！」

王が叫ぶ。賢司を地面に突きとばした。

そのとき、もう一度銃声が轟いた。

「ダイジョウブか？」

不安げな視線を賢司に投げながら、王がまた叫んだ。

しかし、次にその口から洩れてきたのは、

「……ナンテ…きれいな…アオだ………」だった。

三十メートル離れた杜のなかで、身を低くしながら忍びやかに疾走していたのは、腰から太刀を下げた小橋だった。

ヴォルターは小橋に気づくとニタリと呟いた。

「悪いな小橋。この距離じゃ、おまえの負けだ。フッ」

膝をつきながら体を捻り、静かに銃口を小橋の心臓に定める——。

決着

しかし捻った弾みで、ヴォルターの折れた右足首に杭を打ち込んだような激痛が走った。ヴッ。

白刃一閃——。

その刹那、音もなく、小橋の太刀の切っ先が白銀色の光を放ちながら碧空に向かって弧を描いた。

次の瞬間、ヴォルターは、銃を持ったままの右手が放り投げた空のコーラ瓶のように宙に止まっているのを見た。——何が起こったのかわからない。

が、それが放物線を描きながら落ち始めたとき、稲妻のような激痛が走った。ギャァ!!

ヴォルターは左手で右腕を押さえ、肩からゴロンと転がる。そのまま二、三度地面を転げ回った。

噛みしめる歯の隙間から、空気が激しく吹き出している。スーッ、スーッ、スーッ――、激痛に耐えきれず、今度は下唇が噛みきれるほど強く噛んだ。

しかし次第に正気を取り戻すと、ヴォルターはすでに鬼のようになった顔に、最後の意地をむき出しにして腹ばいになる。左腕を思いきり伸ばし、落ちている自分の右手を開いて拳銃を取り戻そうとした。クソッ！

「よせ、宗村！　もう終わりだ！　いまなら助かる。これ以上戦えば無駄死にだ！」

小橋は鮮血をまき散らしながら必死に這い回るヴォルターの姿を、燃え上がるような激しい眼でじっと見つめていた。

ヴォルターは左手で自分の右手を摑んだ……郭大使を恨みながら。――賢司を最初から撃つべきだった。

なんで、俺がおまえの出世のためにこんな目に遭わなければならないんだ！

「やめろ！　宗村！」

しかし銃口が小橋に向く直前、神域に響き渡った次の音は頭蓋骨が砕かれる鈍い音だった。

「大丈夫、賢司⁉」と、ナオミが感情を露わにきいた。

ヴォルターが倒されたことがわかると、血の気が引いた顔色の賢司がスクッと立ち上がった。

うん、といってみたが、自分でもまだ何が起こったのかわからない。肩からリュックを下ろし破けた穴をまん円い目で見つめると、父からもらった本を中から取り出した。

「これだね――命の恩人は」

段ボールの本函（ほんばこ）もハードカバーも、引きちぎられたような穴が開いていた。ページをめくると、本の厚みの中間あたりから、まるで火山から溶け出した溶岩のような無残な銃弾が姿を露わにした。

父が助けてくれたんだ――。

そう思ったとき、王がまだ立ち上がっていないことに気づいた。

振り返った賢司はハッとする。王は二メートルほども飛ばされていた。瀕死（ひんし）の重傷だということは一目瞭然だった。腹部のちょうど真ん中あたりが、真っ赤な血で染まっている。シャツの破れたところからは、白い生き物のような腸が飛び出ていた。

脇で寄り添う海部宮司が、目を伏せながら賢司に向け一度首を横に振った。王の息は荒く、見るからに目に力がない。賢司は泡を食いながら駆け寄り、しゃがみ込んだ。

「王！　大丈夫か！　すべては間違いだったんだよ！　神道の最高神はアマテラス。ユダヤとは関係ない！　アークなんて来ていないんだよ。日本に！」

口元に力ない笑みを浮かべた王は、胸ポケットを見るよう目で合図した。

ポケットには、無線盗聴器のようなものが入っていた。賢司はスイッチを切ると、小さなLEDライトが消え、それを王に見せた。

王の目尻が一瞬緩まった。最後の力を絞り出すように語り出す。

「ケンシ……デキルダケ早く……脱出……したほうがイイ」

真の友情の弁なのだろう。いま、王にできる精いっぱいの弁なのだろう。

賢司は目を充血させながら深く頷くと、王の呼吸はさらに荒くなっていった。

王が、再び胸ポケットを探るよう目で合図した。

ポケットを寸秒まさぐると、なかにもう一つ小さな内ポケットのようなものがある。

賢司は指先に触れたものをつまみ出した。

「──ユダヤ人のお守り、アミュレット?」

「……ああ……」

賢司は驚きに眉根を立て、目を尖らせた。

「ああ──、何で気づかなかったんだろう──」

そう嘆きながら、苦虫を噛み潰したような形相にどんどん変化していく。なぜ王が日本について詳しいか、このときわかったような気がした。

「王は開封の生まれ──ユダヤ人だったのか? 日本のことを自分でも調べていたんだな?」

これまで発見されたシルクロード沿いに点在するユダヤ人コミュニティのうち、開封市のコミュニティが最東端のものであるというナオミの話を思い出したのだった。

王は小さな笑みを返した。

「……イマまで……タノシカッタよ……アリガトウ……。……デモ……ソノ……超石頭……これからも……カワルなよ……」

ニコリとしようとしたのがわかった。しかし、虚ろな目には、もう遠くの空気しか見えていないのだろう。賢司は、自分の頑固さを、いままで何度も王にからかわれてきた記憶を探りながら、その生気の抜けた手を握りしめた。

「こちらこそありがとう、王――」

王の呼吸は短くなっていた。最後の力を振り絞ろうとする表情になる。

「……賢司、……ゴメン……」

思いがけない言葉が、ぐっと胸にきた。

「なに謝っているんだ、こんなことに巻き込んで――」

とはいえたが、謝らなきゃならないのは僕のほうじゃないか、という詫びの言葉は涙で声にならない。口惜しさで、いまにも胸が張り裂けそうだった。

が、そのとき、溢れ出そうな涙を堪えようと首をあげた賢司の目に、王と一緒に飛ばされたトートバックからはみ出す物体が飛び込んできた。

無愛想な沈んだ色の不気味な鉄塊。先には、七、八センチほどのずんぐりしたシリンダーが無理矢理取り付けられたように設えられている。すぐにわかった。それは初めて見たとはとても思えない、サイレンサーつきベレッタ92のゾクリとする姿だった。

一瞬、何が起きているのかわからなかった。だが、思い出した。王の履歴書には、王が大学卒業後、中国で人民解放軍に数年間服役していたことが記載されていたことを。そういえば、洞窟のなかで拾ったヴォルターの銃はネジが切ってあったけれど、サイレンサーはついていなかった。それに、さっき轟いた花火のような銃声も、サイレンサーの籠もった音ではない——。

と、いきなり心臓が凍りつくような考えが頭を過ぎる。——ゴメンって——、もしかして、王が父を？

王は、何かいおうとしたようだが、もう言葉にさえなっていない。

「…………………………」

ただ、最期に頬になにかの影が差したように見えると、静かに一筋の光るものが王の頬を伝った。

でも、わかった。これこそがまさしく、王が拘った最後の望み。友情に悖る行為への謝罪をしてから、人生の幕を閉じたいと願っていたのに違いない。

驚きと、困惑と、失望に、賢司はまるっきり放心状態となる。しばらくその場に呆然としていた。

しかし、なぜか王に対する憎しみは生まれてこなかった。

父を捨てた自分と、母を捨てなかった王。羨ましさや恥ずかしさが滲んだ、もて余すほどのその自責の念こそが、意外にも、自分でもどうにもならないもどかしい葛藤が胸を切り刻むのを許し続けていた。父を殺した王を許す？　というか、諦める？　というか、受け入れる？　かもしれない。

これでいいのかと自分の胸に問うごとに返ってくるのは、親に対する深い複雑な想いを、通り一遍の正義や法の概念でどうして一刀両断に断罪できようかという万策尽きた迷いだけだった。

心の整理がつくまでもなく、憂わしげな表情で海部宮司が叫んだ。

「ここは危険です。私はこのあと警察に連絡します。皆さんは、いますぐうちの神職が運転する車で京都まで戻り、新幹線で東京に戻ってできるだけ早いうちに出国してください」

帰国

暗所のようなホテルの一室で、ヘラー氏はぱっとスイッチが入ったように目を覚ました。

早朝三時十五分、テルアビブ時間。東京時間は、まだ抜けきれてないようだ。

何気なくスマートフォンをチェックする。黒い画面に、メール受信の通知が一つだけ浮かび上がっていた。ナオミからだ。

イラージとデービッドに関するメールを読んだな? 内容はおおよそ予想がついた。が、すぐその表情が一変する。——何? 王が死んだ? ヴォルターも?

王は赤猫という中国のスパイだった……。

ヘラー氏は、事が予想以上に大きくなりつつあることを危惧した。

やはり無理をしてでも、ナオミを連れて帰るべきだったか——。後悔しながら先を読む。

〝私は信じていないけど、賢司は、海部宮司の説明を信じて日本とユダヤは関係ないと結論。安全策をとって、二人とも明日帰国することにした。デービッドとイラージのメールは読んだけど、京都で見たイラージは間違いだったかも知れないし、デービッドも もう日本を発ったはずだから、とりあえず明日までは安心だと思うわ〟

帰国するときいて、ヘラー氏は何はさておきホッとした。

すべてに納得したわけではない。しかし、いまは一度引くのが良策だろう。

ヘラー氏は、ナオミの父コーヘン氏の笑顔を思い出しながら、返信メールを書き出した。

〝帰国の便が決まったら、すぐに知らせるように——〟

翌朝、賢司は、長期不在となる東京広尾のナオミの家で後片づけを手伝っていた。傍では書類をゴミ箱に放りながら、ナオミが何やら煮えきらない表情をつくっている。いきなり、「ねえ、賢司、海部宮司って正直どう思った？」と問いかけてきた。

心外な質問だった。賢司は何をいい出すの？　という目を返す。

「どうって？——別に、嘘はいっていないと思うけど」

昨日、ナオミが最後まで納得していなかったのは、賢司にも見てとれた。でも、不満の対象は賢司が下した決断であるはずだ。叔父ではない。

「嘘じゃないかも知れないけど、例えば重要なことをわざと伝えていないとか——。つまり私たちを帰らせようと、嘘をいわずにミスリードしたという意味だけど」

筋違いな話にもきこえたが、賢司はとりあえず昨日のことをざっと思い起こしてみた。だが、やはり大きな不備は認められない。賢司は子供を諭すような優しい眼でこたえた。

「大枠は、祖父が公開した極秘伝『神の同時存在の法則』や、荒魂（あらたま）、和魂（にきたま）、幸魂（さきたま）、奇魂（くしたま）が示唆するように、日本の多くの神々は同神の分身として還元されて、残った神々の中心にアマテラスがいるという考え方でいいんじゃないかな？——古事記や日本書紀の編纂者のなかに、何かしら聖書の知識を持っていた人が混ざっていたとは思うけどね」

しかしナオミは、まだしかめっ面のまましぶとく食らいついてきた。

「でも、その『神の同時存在の法則』なんだけど、私、宮司はわざと三つ目の法則を端折って説明したと思うんだけど」

賢司は手を止めて、まごついた視線をナオミにやった。

「三つ目？――ああ、『同名をもつ神はもとは同神なり』のこと？」

「ええ。木嶋神社の隠された長い名の神いるでしょ？　私、あんなことがあって寝つけなかったから、宮司がいわれたように私なりに分解してみたの」

ナオミはバッグをまさぐり、切り貼りした御名のメモをテーブルの上にぱたんと置いた。

天照國照彦・天火明・櫛甕玉・饒速日尊

そして二つ目の御名を人差し指で差しながら、いつにない強い口調でいった。

「そしたら、この二つ目の神、なんとホアカリだったのよ！」

賢司の頬が紅潮する。――確かホアカリは、現在、籠神社の主祭神。賢司の家系図、国宝『海部氏系図』の始祖のはずだ。

「だって、そもそもホアカリって男神だったんじゃないの⁉」

「ええ、『天』がついて天火明となっているけど、この場合の『天』は尊称だから、大した意味はない。で、最初の神を確かめたのよ。そしたら、最後に『彦』ってついているじゃない！　『彦』は、男神につける尊称よ。つまりアマテラスは男神なんじゃないかしら！」

乾坤一擲

出張時に使用される中国大使館内の総領事執務室では、さっきから机で石像のように固まった周領事が、壁の一点をじっと見つめていた。

覚悟はできていた。

なにせユダヤ人と日本人を殺害して中国の関与を明らかにしたあげく、味方の諜報員を二名も失ったのだ。まだモノを手に入れたのなら、弁明の余地もあったろう。しかしまったくの空振りでは、逃げ口上の切り口さえ思い当たらなかった。

ましてや相手はこれまであらゆる人間を踏み台にしてきた郭大使だ。どう考えても勝ち目はない――。

しかし周領事には、乾坤一擲の運命をかけた最後のジョーカーがあった。

これ以上、小心者の郭大使から作戦継続の許可を得るのはどう考えても無理だ。郭大使のやり方から判断するに、たとえこのままなにもしなかったとしても、すべての責任を押しつけられ収賄かなにかの容疑をかけられて葬られるのがオチだろう。だとしたら、アップサイドは無限だが、ダウンサイドは大して変わらない。やはり、これは許可なしで断行する。

まだ天から見放されてないのは、地元出身の直系の上司の一人が中東担当の政治局員となっていることだった。——畢竟、これしかない。

回転イスでクルッと机に振り返ると、周領事は軽快な音を立てながら受話器を手に取った。

消された神の実名

ナオミの説明に言葉を失う賢司。実は、ずっとそんな気がしていたのだ。

太陽神が女神ときいたときもそうだが、伊勢神宮で生涯を捧げる処女の斎宮の話をどこかできいたときは、とりわけ奇妙だと思った。世界中、処女は男神に捧げられるのだ。

「実は、古事記にも、アマテラスが女神だなんてひと言も書いていないどころか、ミズラを結ったという記述もある。ミズラは男の髪型よ。それに日本書紀だって、本文中には一切書かれていないのよ」

「え？　日本の正史が、アマテラスを女神と認めていない？」

そんなことって本当にあり得るのだろうか。そんな基本中の基本の情報が——。

「そう。日本書紀には、本文以外に沢山の注意書きがあって、その注意書きのなかで女神と示唆されているだけ——本文中では一切、女神と書かれていないの。それに伊勢神宮に奉納されるアマテラスのご装束は、すでに平安時代から男性用と指摘されているのよ」

そういいながらナオミは机の上のコンピュータで大学のデータベースにアクセスした。

「これが日本書紀で唯一、アマテラスが女神かも知れないとわかる部分——」

共生日神　號大日孁貴　一書云天照大神

『共に日の神を生み申しあげた、大日孁貴(オオヒルメムチ)と号(もう)す。一書(あるふみ)に云(い)はく、天照大神といふ』

賢司は画面に視線を貼りつけたまま、ぽつりといった。

「ところで、この大日孁貴って誰？」

「大日孁貴の、『大』と『貴』は、尊称だから特に意味はないけど、『日』は太陽……『孁』という漢字は巫女(みこ)という意味よ。だから、太陽を祀っていた巫女の神ね。実際にいた太陽を祀る巫女のことを、死後に祀ったということではないかしら」

本当だ——。『一書に云はく』とは、『こんな説もありますよ』と他説を紹介しているにすぎない。この文章を素直に読めば、本文ではアマテラスは女神とは明記されていないではないか。ただ、注意書きで間接的に女神と同神かも知れないと示唆しているだけだ。

男神であれば、あえて男神と書かなかったということもあるだろう。だが、女神という大きな特徴を明記しないとは考えにくい。

こんなバカげた話があっていいのかと思いながらも、系図に大日孁貴を書き込む。

賢司は顔を歪ませながらもう一度原文に視線を移した。すると、突然声を大にして、

「ねえ、これ、ちょっとおかしいよ！　だって、この文がいっているのは、生まれたのは大日孁貴のほうで、アマテラスが生まれたなんてひと言もいってないじゃない！」

そういいながら、自分の言葉を疑った。

日本の正史が、神道の最高神アマテラスが生まれたといっていない？

画面を覗き込んだナオミも、ショックを隠せないでいる。

「本当だわ――。古事記にはなんて書いてあるのかしら？」

そういうと、今度は『古事記』を画面に出した。

於是洗左御目時　所成神名　天照大御神

「『左の御目をお洗いになったとき、成った神の名はアマテラス』――古事記では、ちゃんとアマテラスは生まれているわ――」

一体、どういうことなんだ――。視線を宙に泳がせながら賢司は腕組みをする。

突然、ナオミの額に朱が差した。

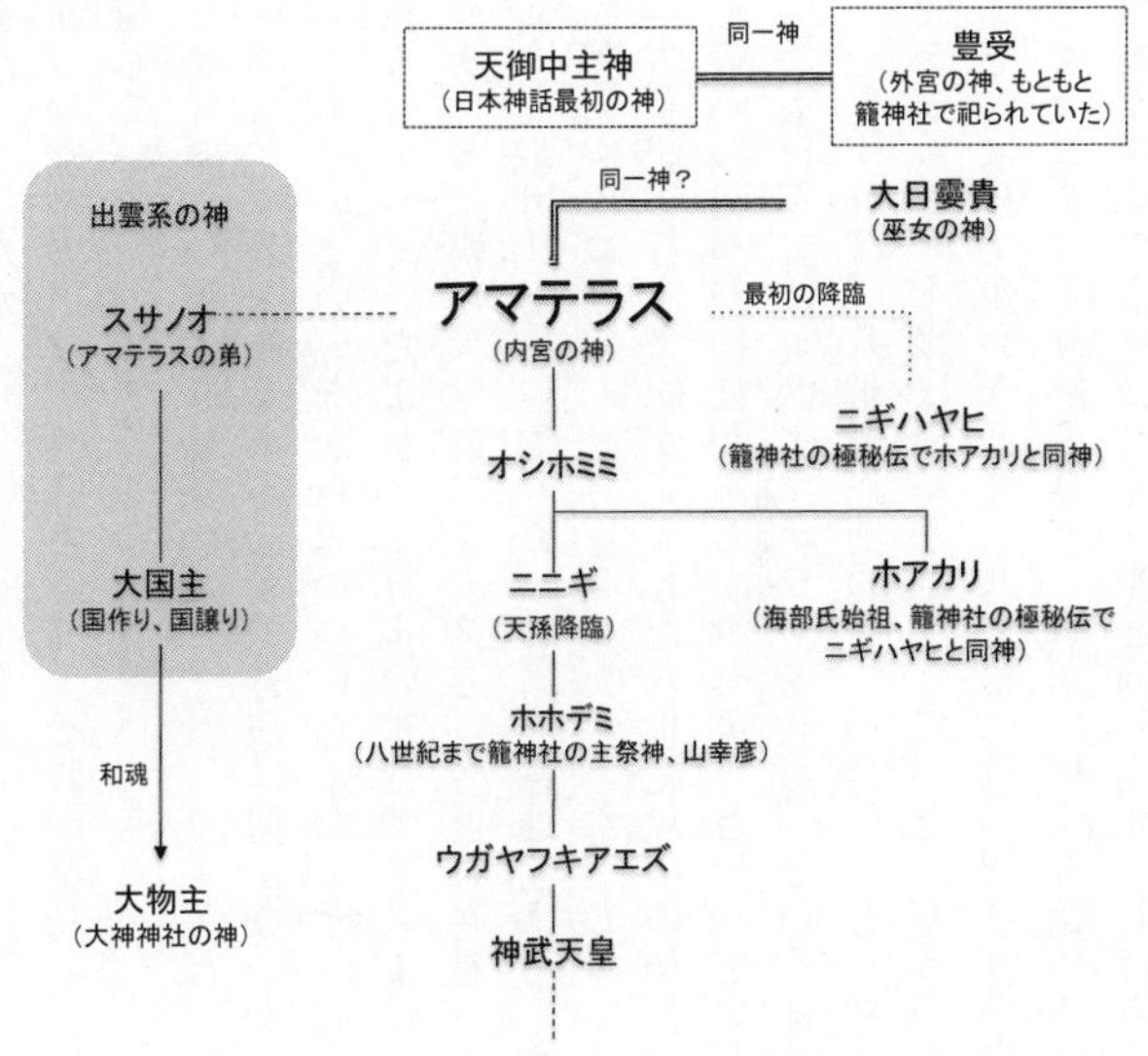

「そう、確か、持統天皇が孫に皇位継承するとき、日本初の女帝から孫への継承を権威づけするために、古事記では同じ構図の天孫降臨神話をつくり出したという説があるの。その証拠に持統天皇の一つの御名は、まるで高天原の天皇であることを宣言しているかのように高天原廣野姫天皇というのよ——高天原なんて名がついている天皇なんてほかにはいないわ」

「——あっ、そうか、そのときに一緒にアマテラスを女神にしたということだね？　恐らく当時は、もともとのアマテラスが男神であることはみんな知っていたので、女神とは本文に書けなかった。だから、一書として女神のようにミスリードした――大日孁貴と習合させて新しい女神のアマテラスとして。それが奏功し、日本人は今日までアマテラスは女神と信じている」

ナオミが一度大きく頷いた。

「でも、それを確かめるほかの方法は何かないかしら？」

「うん、いまいいながら思いついたんだけど、叔父は、真実を知りたければ古い神社を見ろといっていたよね？　日本の神社のリストってどこかにあるかな？」

ナオミは再び大学にアクセスし、今度は神社リストの膨大なスプレッドシート・ファイルを取り出した。賢司がナオミと席を替わり、マクロを書き始める。

「何のマクロ？」

「古事記、日本書紀が完成した八世紀以前の神社で、大日孁貴という名で、アマテラスを昔から祀った神社があるか調べようと思っているんだ。最近になって、うちで祀っていた大日孁貴は実はアマテラスでした、という神社ではなくてね」

そうすれば、八世紀以前の古い神社が、どう考えていたかがわかる――大日孁貴とアマテラスを、本当に同神と見なしていたかどうかだ。

それは叔父がいう通り、八世紀に政治的影響を受ける前の情報に違いない――。

マクロをつくり終えると、賢司は検索を始めるリターン・キーを力強く叩いた。カーソルが風車のようにクルクルと回り出す。しばらくするともとのカーソルにぴたっと戻った。

「やっぱり、ゼロだ——」

賢司は確信した。——日本の正史も、八世紀以前の古い神社も、アマテラスと大日孁貴が同神である、と見なしていなかったということを。

故に、アマテラスが女神である、という確証はどこにもないということを——。

ナオミが、何か頭の中で整理しているようなよろめく眼差しでいう。

「ということは、やっぱりいまのアマテラスの前に別の太陽神がいたということね。天と国を照らす男神、天照国照彦が。しかしなぜか消された。これを調べる方法はないかしら」

「そういえば、あの長い神の名の、残りの二神は誰だった?」

「いやあ、実はあのあと、漢字の意味は調べたんだけど、疲れて眠っちゃったのよ」

ナオミは、はにかむような笑顔でこたえると、「いま、調べるわ」といって、コンピュータに難解な漢字を入力するため、手書きパレットと格闘し始めた。

「三番目の神はクシミカタマね。ちょっと待って、この名を持つほかの神を検索してみる」

そういいながら、ナオミは再びネットにアクセスした。

「いたわよ、大物主櫛甕玉(おおものぬしくしみかたま)。つまり、『神の同時存在の法則』によると、これは大神神社(おおみわじんじゃ)の大物主のこと。オオモノヌシは、日本書紀によると大国主の和魂(にきたま)——」

「グッド。で、四人目は？」

ナオミは急き込んだ指先で、最後の神の御名を手書きパレットで書き込んだ。

「日本の名前は一番大事な諱（いみな）、つまり実名を最後に持ってくる。これこそが本当の名よ」

リターン・キーを小気味よく叩く。

次の瞬間、二人は同時に凍りついた。――エッ⁉

オックスフォード

インターポールから送られてきたデービッドに関する報告書を、マーク・シルファンはイスラエル大使館の会議室のなかで読んでいた。

その神経質そうな目の動きが、ふと、ある一文でぴたりと止まる。

それによると、デービッドが九〇年代初頭、シカゴ大学でMBAを取得したというのは事実だが、学士を取得したのはオックスフォード大学だというのだ。

マークは不審に眉をひそめていた。確か、王も、イラージも、オックスフォード大学で勉強していたということだったが――。まさか、三人が繋がっていた？

不気味な不安が雷光のように走った。

シルファンはとりあえずこの部分をヘラー氏に報告するために、コンピュータの指紋認識装置に慌ただしく手のひらをかざした。

まるで息の根が止まってしまったような表情のナオミが、放心した目つきのまま弱々しく呟いた。

「ニギハヤヒ……。神武天皇に帰順してヤマトを譲った謎の神。賢司の家系の始祖……」

一体、どういう事だろう――。賢司も我に返るや否や、次の一手を考えながら、アマテラスの長い名に、発見した神々の御名をとりあえず書き込んでいった。

天照國照彦（アマテラス）・天火明（ホアカリ）・櫛甕玉（オオクニヌシ）・饒速日尊（ニギハヤヒ）

これがみんな、ひとりの神――？

賢司はペンを走らせながら、事態が解決に向かっているのか、混迷に向かっているのかさえ、まったく判断できなくなっていた。

ナオミが賢司の系図を確認しながら二、三度首を横に振る。

「でも、なぜ三番目の神が出雲で国を譲った大国主で、四番目がヤマトで国を譲ったニギハヤヒなのかしら？　この二神は同神の分身ということ？」

ナオミは質問しながら、否定しているようにもきこえた。

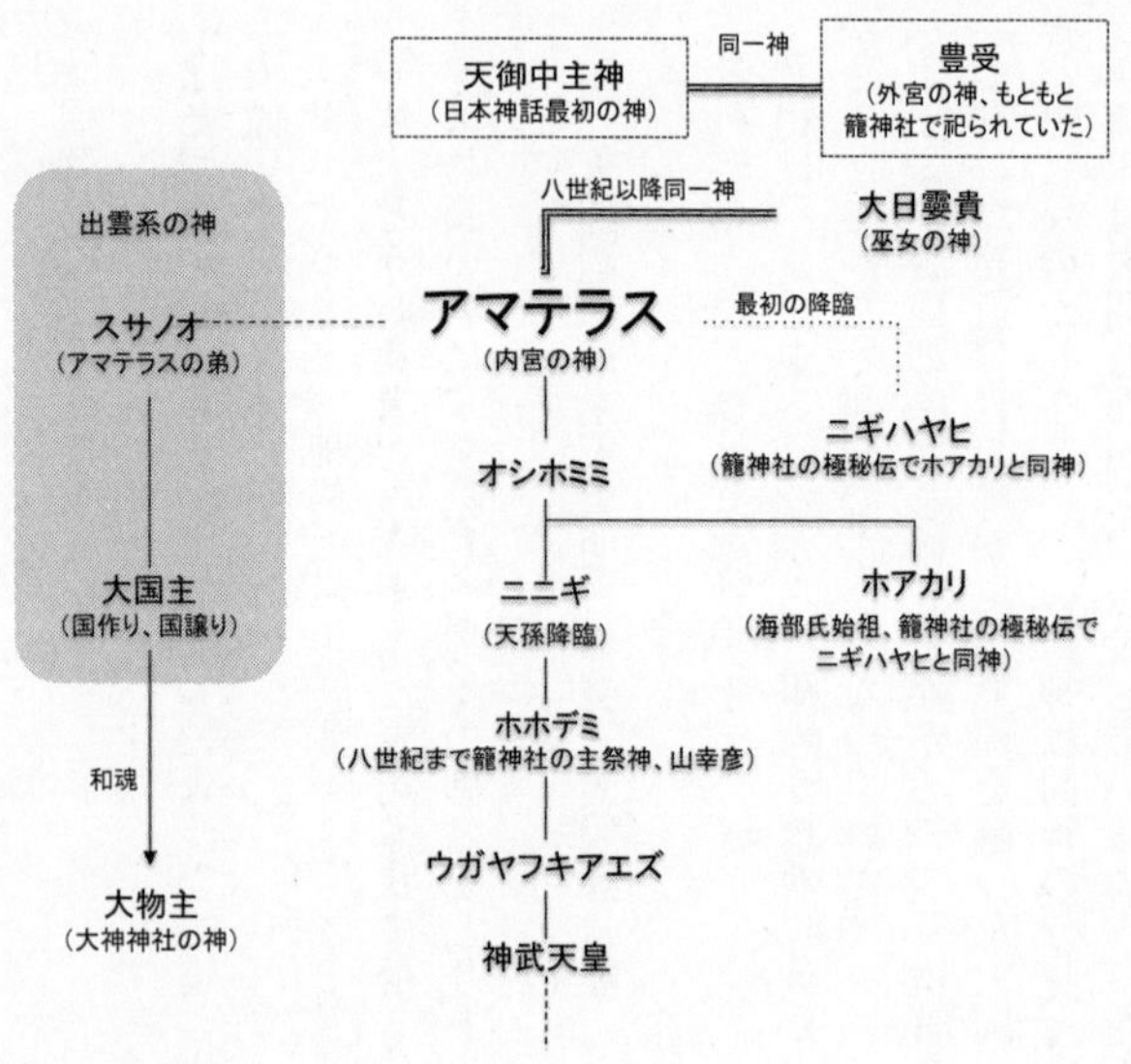

賢司はしばらく目を閉じて頭をフル回転させていたが、ぱっとある考えが閃いた。

「わかったよ、その意味が――。ナオミは以前、出雲では、葦原（あしはらの）中国（なかつくに）を代表するような大きな国があったことを示すような、十分な史跡が見つかっていないっていっていたよね？」

すぐさまナオミも、我が意を得たりといわんばかりに大きく頷いた。

「あっ、そうか――。やはり『出雲国風土記』には国譲り神話は書かれてないように、出雲では国譲りはなかった。もしくは、あったとしても小さなもの。そして、古事記や日本書紀に出雲の国譲りとして綴られた真のモデルは、歴史から消されたニギハヤヒの国譲りということね」

「そう、出雲の国譲りの物語は、ニギハヤヒを歴史から葬り去るための策。だから、大国主とニギハヤヒは同神となり、この長い神の名のなかに二人ともいるんだよ」

ナオミは、しばらくその意味を考え込んでいたが、何かを思い起こした表情になる。

「あっ、そういえば前から謎だったんだけど、京都に出雲大神宮という神社があって、出雲大社の大国主は、そこから勧請されたという古い社伝が残っているし、『丹波風土記』にも八世紀に杵築に遷したと記述されている。だから元出雲と呼ばれているの。実際、出雲大社は明治まで杵築大社という名だったし、昔は〝出雲の神〟とは京都の出雲大神宮を指していたのよ。――大国主の拠点も、国譲りの場所も、本当はいまの出雲ではなかったという推測通りだわね」

賢司は得心がいったように一つ頷いたが、逆にナオミはまた表情を曇らせた。

「でも、だとすると、なんでニギハヤヒの国譲りだけ消し去られて、大国主の国譲りという物語をわざわざつくったのかしら?」

賢司は言葉に詰まっていたが、すぐにその理由が頭に浮かんだ。

「それはきっと、ニギハヤヒは、本当に国を治めていた大王だったからだよ」

いいながら思った。そう、ニギハヤヒは、本当に実在した王に違いない。神武天皇の前に、葦原中国で。だから、消し去りたかった。

元出雲とも呼ばれる京都にある式内社、丹波国一宮出雲大神宮

「でも大国主は、帰順したり征服された複数の王を習合して創造した神」

そう、だから大国主は多名でも諱がないんだ。

当時、人々は、まだ帰順したり征服された王たちのことを覚えていたが、大国主は習合神であるがゆえ、記憶も生々しくないし消し去る必要がなかった。

いや逆に、大国主こそが、彼らを鎮魂するためにわざわざ創造された習合神に違いない。

そして、そのなかにニギハヤヒも隠された――。

「そうか、古事記の出雲神話は地元の風土記にはまったく出てこないし、大国主も地元の氏族ではなく天皇家側が祀り始めた神――。その説だったら説得力があるわね。でもそうすると、父のスサノオは誰かしら？」

賢司はしばらく思いに沈むと、再び神社のスプレッドシートにマクロを入力し始めた。

「古い神社に、スサノオのほかの名前が残されていないか調べてみるよ」

そういいながら、軽快な指で簡単なマクロを書き上げると、リターン・キーを勢いよ

八劔八幡神社

く叩いた。再びカーソルが円となってクルクル回り出す——。

　また、ピタリと止まった。

「ん？　八劔八幡神社（やつるぎはちまんじんじゃ）？　千葉県にあるみたいだけど。ナオミ、この由緒（ゆいしょ）訳してくれる？」

「ＯＫ——。『往古（おうこ）この地に旧（ふる）き神祠（しんし）あり、素戔嗚（スサノオ）尊を祀る　里人これを八剣（ヤツルギ）の神と称して崇敬せり』——」

　賢司の眼は三角だった。

　と、ナオミがほかの頁をクリックした。

「ええと、昔は八劔大神といえば例外なくスサノオを意味したけど、八世紀以降にヤマトタケルにみな替えられたと書いてあるわ」

「八剣（ヤツルギ）とスサノオはもともと同じ神——」

　賢司の指先が、また何かを思いついたように動き出す。

「じゃあ今度は、八剣の神で検索してみるよ」

　カーソルが再び回り出した。

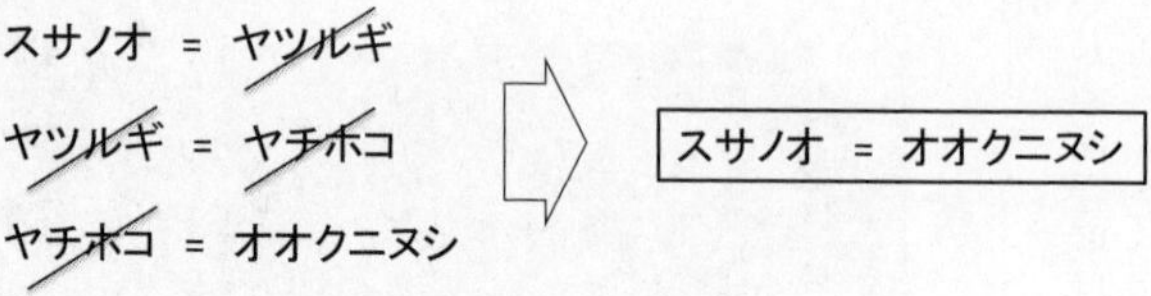

スサノオ ＝ ~~ヤツルギ~~
~~ヤツルギ~~ ＝ ~~ヤチホコ~~
~~ヤチホコ~~ ＝ オオクニヌシ

⇒ スサノオ ＝ オオクニヌシ

画面を見つめるナオミが、急に戸惑いの表情となる。

「止まった。今度は八剣神社。長野県諏訪市ね。でも主祭神は八千（ヤチ）戈（ホコ）大神——」

「八千戈大神って、確か大国主の別名でしょ？　大国主の名前のリストに入っていたよ？」

賢司は混乱しながらも、明らかになった事実を総浚（そうざら）いしていった。

「つまり、もともとヤツルギはスサノオと同神だった。そのヤツルギはヤチホコのこと。そのヤチホコは、大国主の別名とされている——」

賢司は神の等式を書き出すと、二人とも同時に得心した。

「そうか、これらの神々はすべて同神の分身！　つまり、スサノオ、大国主、ニギハヤヒはもともとは同じ神ということだよ！」

いいながら賢司は、あまりの大きな飛躍に逆に不安になってきた。

「いくら何でも、これってちょっとやりすぎじゃない？　日本神話の系図は、やはりデタラメってこと？　何かほかに、これを確かめる方法はあるかな？」

いったものの、名案の浮かばない賢司は唇を尖らせたまま、その本当の意味を推し量ることができないでいた。

いくら考えても、驚きを禁じ得ない。しかし、モデルとなった実話を分解して、新しいかたちに創作し直したとしか考えられなかった。

賢司はこれまでの発見をベースに、系図上の同神の分身に◎をつけてみた。

「なにこれ？　アマテラス以下の神は全部二重丸。もともとは同じ神ということじゃない？」

ナオミが悲痛な表情で声を張り上げた。

「ちょっと待って、これってやっぱりおかしいわよ！　だって、ニギハヤヒ、大国主、スサノオは、三人とも国を譲った側の神だから、本当は同じ神だったということは理解できるけど、でも、それが国を譲り受けた側のアマテラスともともと同じ神？」

そういわれて眉をひそめた賢司も、完全に混乱してしまう。

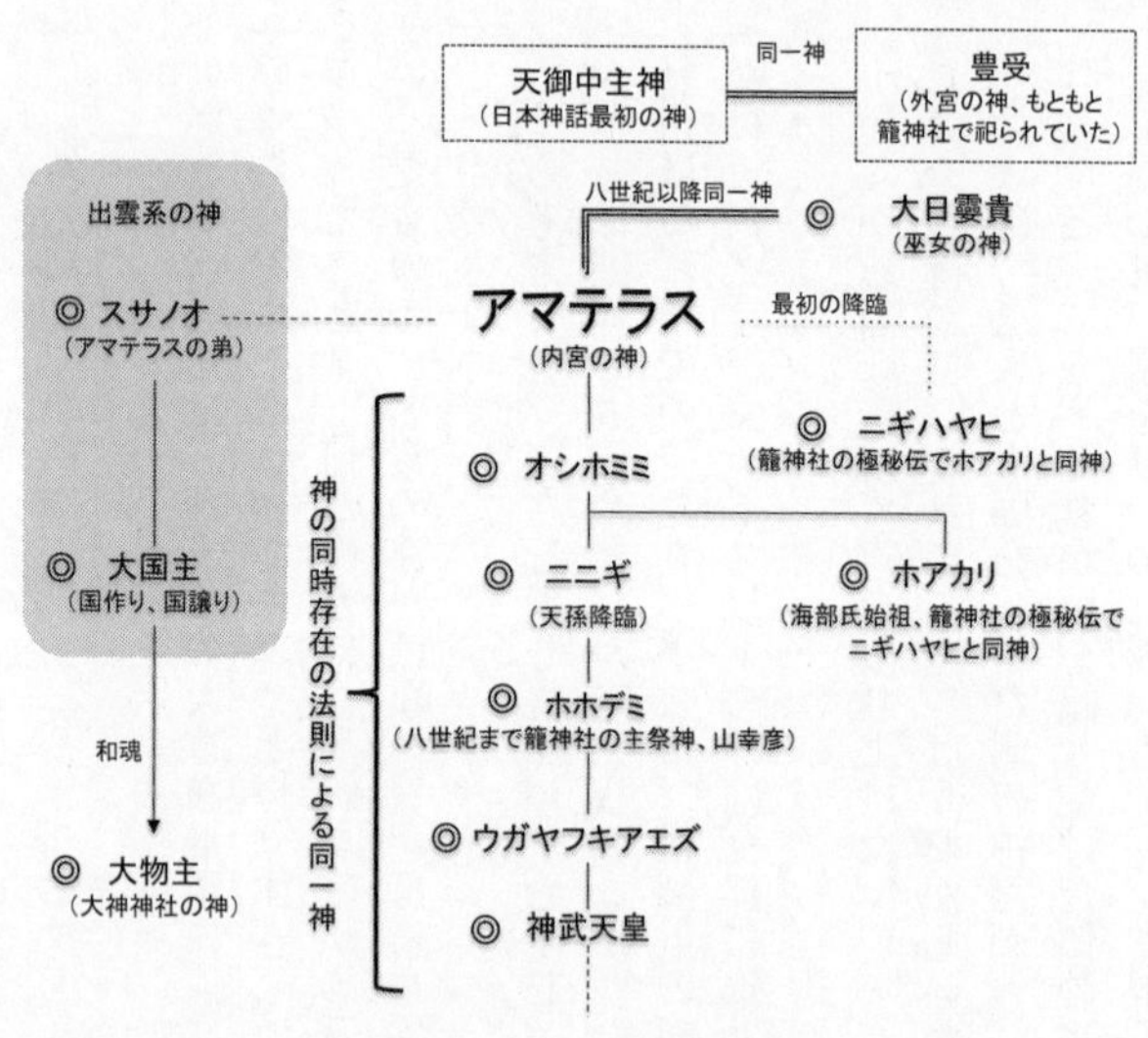

国を譲った神々は、譲られた神と同じ神の分身？——やはりどう考えてもおかしい。

しかし、あるアイディアが稲妻のように閃くと、賢司は震えを抑えながら叫んだ。

「そうだよ、おかしくないよ。だって以前ナオミは、スサノオも大国主も、古事記と出雲国風土記ではそれぞれまったく異なる性格、功績、物語で描かれていて、別の神と思える神を無理矢理スサノオと大国主として仕立て上げたみたいだっていっていたでしょ？つまり、これはあくまで神話の世界の話なんだよ。かりに人間としてのスサノオ、大国主、ニギハヤヒが、歴史的に本当に別々の人間として存在したとしても、それはあくまで歴史の話。でも、いま僕たちが話しているのは神話世界の神の話。二者は似て非なるもの。重なることはあっても同一ではない——。

そして神としてのスサノオ、大国主、ニギハヤヒは、ベースとなった各人間モデルとは切り離されて、叔父がいっていたように、それぞれの神が別々の生命を持ったように一人歩きしているんだよ——」

ナオミはわかったような、わからないような不思議な顔をしている。

「そして神のニギハヤヒは、神の大国主、神のスサノオのなかに隠され、これらの神を習合した神を大日孁貴（オオヒルメムチ）と習合させて女神とし、その神を乗っ取ったのがいまの新しいアマテラスということだよ！」

眉根を寄せて、ナオミはまだ考え込んでいた。

しかし、突然スマートフォンを焦る指でスワイプしながら、声高に叫んだ。

「あっ、そうだ、思い出したわ！　能という現存する世界最古の日本の伝統舞台芸術を知っているでしょう？　そのなかでも特に古い演目で日本最古の神社、大神神社（おおみわじんじゃ）のご神体である三輪山（みわやま）を題材にした『三輪（みわ）』という作者不明の大人気の演目があるんだけど、その最後の仕舞（キリ）と呼ばれる部分に謎に包まれた地謡（じうたい）の一文がでてくるのよ。ほら——」

〝思えば伊勢と三輪（みわ）の神、一体分身（いったいふんじん）の御事（おんこと）、いまさら何と磐座（いはくら）（言わくら）や〟

「ね。なんと、この演目の締めくくりで、伊勢神宮のアマテラスと大神神社の大物主は実は同神の分身で、いまさらなにをいっているのよと明言しているのよ。あまりにも衝撃的なので古来より物議を醸してきた部分なんだけど、この文章がそのまま正しかったということかしら」

賢司は霧が晴れたような赤ら顔を返した。

「そうだよ。全然、謎なんかじゃなかったんだよ。その謡は、僕たちの推理が正しいということを、そのままいっているんだよ。――つまり、もともとの神アマテラスは、この長い名の男神。その実名はニギハヤヒ。木嶋神社で秦氏が伝えたかったメッセージとは、乗っ取られる前、ニギハヤヒが本当のアマテラスだったということだよ！」

「そうね、アマテラスはもともと〝皇祖の祟り〟で宮中から外に出された――なぜ皇祖が祟るのかまったく意味不明だったけど、その理解だったら首尾一貫しているわね」

賢司は、アマテラスの御名の秘密とからくりを暴いた達成感に浸っていた。

その隣でナオミも、ようやく合点がいったように清々しい表情になって頷いていた。

ん？　しかし――。

おもむろに、賢司が意味深長な皺を眉に寄せる。

確かあの本で、祖父は、日本には『元初の最高神があった』といっていた――。

突然、突拍子もないことが心を掠めると、賢司は険しい表情で絞り出すような声を出した。

「やっと隠された神の正体、もともとのアマテラスの実名、ニギハヤヒのことを発見した直後にこんなことをいうのはなんだけど――」

そして目に力を込めながら、凛とした声でいった。

「この新しいアマテラスって、本当は、名のない神なんじゃない？」

マスジド

二階の大広間に敷き詰められた深いエメラルドグリーンの絨毯の上で、男は額(ぬか)ずいた頭を静かにもたげた。

やがてその乾いた唇から、重く引きずるような祈りの声が洩れてくる。

「アッラーよ、私を許し、お情けをかけ、導き、支え、癒し、糧をめぐみ、高めてください――」

大阪市西淀川区(にしよどがわ)にある大阪マスジドでは、毎日五回行われる礼拝の二回目の礼拝がつい先ほどから進行していた。マスジドとはアラビア語で〝ひざまずく場所〟という意味である。英語のモスクの語源でもあった。

イスラームの教義に従い、広間には神、天使、預言者、聖者などの偶像や絵は一切ない。目立った装飾といえば、もっぱら絨毯に描かれたメヘラブというモスクをイメージした幾何学的な模様のようなものばかりだった。

男は視線をメッカの方角キブラに向けた。壁に設けられた窪(くぼ)みはミフラーブと呼ばれ、コーランの規定に従いメッカに対して行われる礼拝の方向を示す聖なる窪みであった。

僅かな沈黙ののち、男は頭をゆるりと右に向ける。

「アッサラーム・アライクム（あなた方の上に平安がありますように）」

そう唱えると、今度は頭を左に向け同様に唱え、最後に両掌を天に向けて祈願した。

と、いきなり誰かが肩越しに声をかけてきた。神と信者の関係を断ち切らぬよう、イスラムの礼儀をわきまえた背後からの低い声だった。

「ドクター・イラージ・カーニ」

イラージはゆっくりと振り返ると、差し出された名刺に無言で視線を落とした。

「ドクター・イラージ・カーニ。お兄さんの資金の件ですが――」

浮かび上がる〝元初の最高神〟

ナオミは賢司の目に懐疑の視線を投げつけた。

その先で、まるで悟りを開いたような賢司が静かな口調で説明し始める。

「世界が多神教の神々で溢れていた時代、神は聖典の民の始祖アブラハムの前に現れた。アブラハムは神の御名(みな)を訊(き)こうとしたけど、神は明確にはこたえなかった。それは、この神は、ほかの神々とは異なり、およそ人間の理解を超えた存在――この神は、神の名前で神を捉えることによって、人間がその有限な理解力で、無限な神の全体を認識することができると錯覚すること自体を否定した神だったから。そしてこれによって初めて人間は、その全体を認識することも理解することもできない、一神教の神というものを信じることになった――」

合点がいったように、ナオミが深く頷くと、同じく悟ったような口調で語り出した。

「時は過ぎ、モーゼが神の御名を訊いたとき、神が答えた名は、『わたしはありてある者（I AM WHO I AM.）』。ヘブライ語で『エヘイェ・アシェル・エヘイェ』――八咫鏡に書かれていたといわれる。ここからヤァウェ（YHWH）という神の名が生まれた。

モーゼの前に現れ自らの名を「ありてある者」とこたえる神

しかし、『エヘイェ・アシェル・エヘイェ』は、主語の『わたし』が抜けているので、英語であえて書くと、『AM WHO AM』。これは名前ではなく、むしろ名前の由来であって、名前の意味。しかもユダヤ教では、モーゼの十戒で『あなたの神、主の名をみだりに唱えてはならない』と禁じている通り、『エヘイェ・アシェル・エヘイェ』どころかYHWHさえ憚（はばか）って使わない。まるで神の名が存在しないように。だから今日ではヤァウェという人がいたり、ジェホバという人がいたり、エホバという人がいたり、ＹＨＷＨの本当の発音さえ失われてしまった」

「代わりに多数の比喩的な美辞句がある。それは、神の本当の御名を使えないし全体を理解できないからこそ、部分的と理解した上で神を形容し、神の御名の代わりとして使った美辞句。つまり、ちょっと逆説的だけど、全体を表す一つの使用可能な御名がないからこそ、比喩的な美辞句が無数に増えてしまったということ」

「そういえば思い出したんだけど、日本全国の有力神社約三千社を記載した『延喜式（えんぎしき）神名帳（じんみょうちょう）』という十世紀に編纂された書物には、祭神名（さいじんめい）があるのは一部の神社だけで、ほとんどの神は御名がないのよ――」

「本当？」

「ええ、それに、ユダヤ教が言葉の力を信じる神秘哲学のカバラから生まれたように、日本の神道も、言葉の力を信じる言霊（ことだま）という思想から生まれたの」

賢司は意外だという顔をした。

「聖書では最初、神が『光あれ』といったら、光ができたけど――日本もなの？」

「ええ。言霊の思想でも、言葉には神秘的な力があると考えられているのよ。なので昔は、祝詞（のりと）はすべて門外不出だったの。で、この言葉の力を人間に対して応用すると、人間を呪うこともできる。だから昔は、高貴な人はよく本当の名前を隠していたのよ――諱（いみな）、つまり、忌む名前。口に出すことさえ憚られ、普段は字（あざな）という普段使いの名を使っていたの。本当の名前は、その人全体を意味してしまうから。全体を捉えられてしまえば、その人全体が呪われることもあり得るから」

そっくりだと思った。神の美辞句が御名のように増えていった考え方と。

全体を捉えられたくないという――。

キーボードを操作しながら、賢司が聖書の一節を読み上げた。

「じゃあ、例えば、イザヤ書の一節だけど……『イスラエルの神、万軍の主よ、あなただけが地上のすべての王国の神であり、あなたこそ天と地をお造りになった方……』……こういう神の名のように続けて使われた美辞句を、この通りに訳して漢字だけで繋ぎ合わせたら、日本の神のような長い名になるね。当時は句読点がないし」

確信の眼で首を縦に振るナオミだったが、賢司の目からは逆に表情が消える。

「ということは、日本の神の御名も、もともとは美辞句として始まった？　そうだ、さっき、漢字辞典であの長い神の名の漢字を調べたといっていたけど、どういう意味だった？」

ナオミはノートを取り出すと、逸(はや)る手で机の上に広げた。

「これよ。まずは……天照國照彦。これは、天界と地上を照らす神……というような意味で、天火明は……天の火の光。櫛甕玉は、ちょっと難しかったんだけど……櫛は、奇(くし)魂(たま)の奇とか、貴とか……特に秀でたとかいう意味。甕も櫛と同じような意味で、優れるとか、高まるとかで……玉は、魂という意味――。で、最後の饒速日尊の饒は、豊かとか満ち溢れるというような意味で、速日は、恐らく、流星とか、特別な、至高の日の光とかのことだと思うわ。だから……全体としては、『天上の火の光をもって天界と地上を照らし続け、聖なる貴い魂と満ち溢れる至高の光をもたらす神』。こんな感じかな」

じっときいていた賢司は、自然と込み上げてきたことを口走っていた。

「なんか、その神って、やっぱり聖書に出てくる神にもきこえるね？」

「ええ、実は、私もいまいいながらそう思っていたのよ。でも、その神って、ユダヤ教？　それとも、バアルやアラーやゼウスとかほかの異教の神のこと？　――もしかして、あの四文字と関係あるのかしら？」

質問だったが、ナオミは強い眼で見つめている。賢司はその目を見て確信した。

「いずれにしても、ゲームオーバーではないよ。まだ最後の秘密が残っているよ、この背後に――」

「うん。きっとそうね。でもどうやって、それにアプローチする？」

葬られた御名

賢司はしばらく考えたが、いいアイディアがなかなか浮かんでこなかった。

しかし京都駅まで送ってくれた土岐が、父から預かっていた御札を手渡してくれたときにいっていたことをふと思い出す。

確か、このお札は絶対に郵送してはならないと、父から念を押されたと――。

「あっ、そうだ、父からもらった籠神社の御札――」

ここまでの父との無言のやりとりのなかから、賢司はおぼろげに感じ取っていた。父の性格が自分の性格に似ていることを。父の考え方が自分の考え方によく似ていることを。

「僕だったら、あそこにメッセージを残すと思う。絶対、あのなかに何かメッセージがあるよ」

いいながらカバンをごそごそと調べる。

「あっ、だめよ開けちゃ。あれはユダヤ教のメズサと同じものよ。開けたら罰が当たるわよ」

「でも土岐さんは、もし僕が籠神社を訪れたらこの御札を渡すようにと、父からいわれたといっていたでしょ？　何もないのなら、僕宛に送ってもいいじゃない？」

賢司は御札の糊(のり)をはがし、なかから出てきた厚い紙を開き始めた。

「あっ！　ダメッ！」

でも、もう遅かった。賢司は御札をひろげると、幾重にも包まれた紙のなかから厚手の一枚の和紙を取りだしていた。何かが

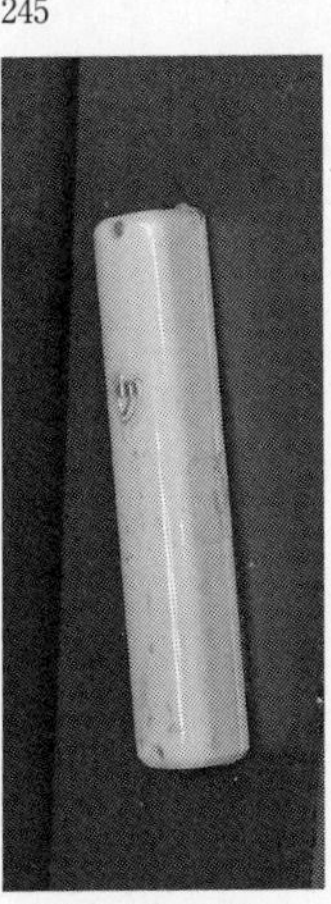
ユダヤのお札メズサ

綴られていた。賢司は眼を輝かせながら、

「ほら、何か書いてある。手書きだよこれ」

と差し出すと、ナオミも驚きの眼で覗き込んだ。

「あっ、本当だ。さっきと同じ、お父さまの筆跡ね。難しそうだけど、私が訳してみるわ」

古の宮に押立つ二柱の神に庇われ
神奈備の末辺に真の神は睡る
葬られたその御名を解き放つとき
標の結ひのもと趣けは出で来

ナオミは難しそうな表情をしながら、早速、ネットでいくつかの言葉を調べだした。

「神奈備の末辺は……神霊が宿る山頂付近。標は……注連縄で、趣けは……指示のこと」

「ねえ、二柱の神って、鳥居のそれぞれの柱のことじゃない？　確か、最も古い鳥居の形で、ソロモン神殿と同じように二本の柱が立っている鳥居があったと思うけど？」

「ええ、いまでも大きな神社がある。そういえば、間には注連縄が張られているわ。さっき能のことで話した大神神社。日本神話で最も語られている日本最古の神社――まさに古の宮よ！　本殿がなく、ご神体は拝殿の裏の三輪山という神体山だし――」

大神神社のご神体三輪山と大鳥居

賢司は、間違いないと思った。そこに誰かが葬られた。しかも、〝葬(はぶ)られた御名(みな)〟だから、名前も変えられて――。

「大神神社の主祭神は大物主。大物主は、大国主の和(にき)魂(たま)。だから、その葬られた神の御名とは、ニギハヤヒのことよ！」

「父もきっと、ニギハヤヒがヤマトの国を譲ったあと三輪山に葬られ、その後、歴史から葬るために大物主にすり替えられたといいたかったんだよ」

賢司は興奮を抑えながらいうと、ナオミがチラッと時計を見た。

「ええ、きっとそうね。まだ間に合うから、とりあえず大神神社に行きましょうよ」

死の床

ノートパソコンのスクリーン上で、荒れた画面が断続的に揺れ動いていた。生の映像だ。映し出された市街地は殺伐としている。映像は途切れ途切れに流れ続けた。

赤茶けた煉瓦がむき出しになった家。一面、穴だらけの白壁の商店街。遠くには屋根が吹っ飛んだ建物も見える。画面脇にはシリアの国旗が掲げられ、お約束事のようにアラビア語が殴り書きされていた。

〝アッラー・アクバル（神は偉大なり）〟

突然、機関銃を積んだハイラックスが画面を横切り、怒涛のような砲声が張りつめた空気を切り裂いた――。

と、いきなり汗ばんだ男の顔が画面の中央を征服し、アラビア語でカメラに向かってがなり始めた。

「イラージ！　俺だ！」

だが、男はすぐにカメラの後ろに向かってなにかを指示し始めた。

ヒゲ面の鋭い眼が再びカメラを睨むと、今度はイラージが叫んだ。

「兄さん！」

男はクビを大きく振った。

「イラージ、いいか、よくきけ。俺たちは裏切られた。奴らは十字軍に魂を売ったんだ」

兄は一気に捲したてるとゴクリと唾を飲み、また激しくいい放った。

「イラージ、忘れるな。家族がどういう想いでおまえを留学させたのか。なぜ理論物理学を勉強させたのか。真のイスラム統一国家建設の夢を思い出せ。おまえのお父さんは、死の床でもイラージのことを心配していたんだぞ」

「――わかっているよ、兄さん」

返すイラージの口は重たかった。

「奴らはもう信用できない。これからの俺たちの味方は中国だ――」

突然回線が乱れ、画像がフリーズした――。

もうひとりの神

大神神社の下の宮にある三柱鳥居
(写真提供:Mkun/ CC-BY-SA-3.0)

その日の午後三時頃、二人を乗せた車が大神神社(おおみわじんじゃ)の巨大な大鳥居をくぐると、すぐ右手に奇妙な鳥居が現れた。

「ちょっと待ってナオミ、あの変な鳥居見て……あそこに、木嶋(このしま)神社と同じ三柱鳥居(みはしらとりい)があるよ!」

「えっ? あっ、本当だ。なぜこんなところに――」

ナオミは慌てて車を駐めると、取り乱したようにスマートフォンを検索し始めた。

「あ、あったわ。ここはどうやら上の宮と呼ばれる大神神社に対して、下の宮といって明治時代に大神神社から切り離された宮なんですって。で、やっぱりこの三柱鳥居は木嶋神社と同じように、神格の三位一体を表している――」

「えっ？　秦氏が大神神社にも関わっている？」

「大神神社は古い神社だから年代的に創建には関わっていないと思うけど、でも創建以後はわからないわ」

大神神社の二本の柱と注連縄の鳥居

「とりあえず、これには父がいった注連縄はついていないから、この鳥居ではないね。先を急ごう」

「ええ、わかったわ」

ナオミは再びハンドルを握ると殺風景な参道を突っ走り、大神神社の駐車場に車を乗り入れた。

玉砂利を蹴散らしながら二人は早足に参道を駆け上がる。短めの石段を一気にのぼりきると、あの柱と注連縄だけの古い鳥居をくぐった。賢司が感慨深そうに呟いた。

「あった、注連縄がついた鳥居――」

社務所（しゃむしょ）では、七十歳ほどの宮司が多少英語ができる神職と現れた。

宮司は、まるでこのときを待っていたかのような表情

で、

「海部宮司が亡くなられたので、この日がいずれ来ると思っていました。宮司からは、これをお預かりしています。絶対に郵送してはいけないと」

そういいながら、両手で包み込むように何かを手渡した。金襴布地のお守りだった。

「これはお守りというもので、お父さまの気持ちがこもっています。大事にしてください」

しかし賢司は、その優しく垂れ下がった宮司の目尻を見ながら思い出していた。

そういえば――。

「実は、先日、清美さんに伊勢神宮を案内していただきました。お父さまですか？」

突然、宮司が、驚きを隠しきれない様子で目をキョロキョロし始めた。

「そうでしたか――、清美のご友人でしたか――」

といいながら躊躇うように思案すると、最後に粛然とした口調で伝えたのだった。

「賢司さん、今日はお父さまとの約束でこのお守りをお渡ししました。しかし私は、もうこれ以上進まないほうが、賢司さんのためだと思いますよ」

賢司は二人の視界の外まで参道を駆け下りると、一度瞑目する。

宮司の厚意を信じて、理由もわからぬまま素直に引き下がるべきか。

王が忠告していたように、得体の知れない巨大勢力の争いから身を引くべきか。

そして、禁忌を暴こうとする不敬なんていい加減に打ち切って、命がいくつあっても足りそうにない綱渡りのようなこの旅を、いますぐ中断すべきか。

しかし——。

心は動かなかった。やはり、決意は変わらなかった。

自分に迫り寄る危険も顧みず、岩のような意志を貫いた父のこころにあった何か。その何かに、たった一人の息子としてこたえるべきだと信じる純粋な心意は膨らむばかりだった。

そして賢司はこのとき、思った。いや、感じとった。優しい母とはかけ離れた自分の頑固さとは、実は父から譲り受けたものだったと。

賢司はナオミに教わりながら、結び目が「叶」の字形になる二重叶結びのお守りの組紐を、父の叶わなかった願いを探りながら解いていった。

なかには、小さく折られた厚手の和紙が入っている。焦る手でつまみ出しひろげると、墨字の文章がまた現れた。やはり、父の筆跡のようだ。瞼に浮かぶ筆を持つ父の老いた姿に、思わず胸が詰まる。

天つ空　領知を争ふ　領つ二柱の神々
或いは上無しに　或いは浅む神名に甘なふ
辛く真字の改めを以ちて　雪かれた御名を索り求めよ

読み終えると同時に、ナオミが再びスマートフォンを忙しなくタップし出した。

「領知は支配のこと……上無しは最高……浅むは侮るということだから……、あれ、これってアマテラスとスサノオのことかしら？　高天原で喧嘩して別れたから——」

もっともらしい妙案に、賢司も目を輝かせながら頷いてみせる。

「うん、そうっぽいね」

だがすぐ、ナオミがきな臭い顔になった。

「あっ、いやっ、ちょっと待って……。一方は侮辱された神名に甘んじた……。しかしやっと字が改められ、汚名が回復された……。挽回した御名を探し求めよ……」

「字が変更されて汚名が回復されたって、どういう意味？」

「中国は昔、日本のあらゆるものに対して蔑字を使っていたのよ。例えば日本を表す倭という蔑字。ヤマトタケルも古事記には倭武と書いてあるの。でも日本書紀では日本武と直されている。この二つの書物が成立した八年の間に蔑字に気づいたのよ」

賢司はそれをきいて、天皇家はやはり漢字をもともと使わなかった人たちなのだと思った。

だけど——、

「スサノオの神名ってそんなに多くなかったと思うけど、蔑字を使った神名ってあったっけ？　——天つ空って、スサノオが追い出された高天原のことでしょ？」

「あっ、いや、調べたわけじゃないから——」

ナオミははっと思い出したようにスマートフォンをさくさくと操作し出した。

「あれっ、私、勘違いしていたみたい。天つ空は高天原ではなく、宮中を指す言葉なんだって」

「宮中？　でも、アマテラス以外にもともと宮中で祀られていて、その後、外に出された神なんていたっけ？」

賢司が疑問を吐き終える前から、ナオミはスマートフォンに何かを打ち込んでいた。

「いたわよ。宮中でアマテラスと同時期に祀られていた神。しかも神威が強すぎるという同じ理由で、同じように外に遷された神——倭大国魂神（やまとおおくにたま）。やっぱり蔑字が使われている。〝大国魂〟だから大国主の魂のことだけど、一応確かめてみるわね」

眉間を立てながら、ナオミは再びスマートフォンと格闘し始めた。

「あった。『大倭神社注進状（おおやまとじんじゃちゅうしんじょう）』という平安時代の書物——。ええと——、倭大国魂神は、大国主の荒魂（あらたま）のことと書いてあるわ。ということはやっぱり大国主の分身。そして詞の通り、アマテラスと国の支配を争った神でもある——」

「それなら、倭大国魂神がその後どこに遷座し、そこで漢字が変更したかを確かめればいいんだよ。ナオミ、検索してみて」

「うん」と弾んだ声でいったナオミが、すぐにその神社を見つけた。

「わかったわよ——主祭神はやはり日本大国魂神（やまとおおくにたま）という漢字に改められている。しかもこの神社、宮中にあった曲玉も一緒に遷座した神社でもある——間違いなさそうね。大和神社。すぐこの近くよ。さぁ、行きましょう！」

LEDライト

ヘラー氏は外務省のオフィスでのミーティング中、ふと見たスマートフォンにメールの受信履歴があることに気づいた。なんとなく嫌な予感がする。

その場でスマートフォンをスッと引き出し、メールを開いてみる。ナオミからの短いメールだ。すべて小文字で、スペルミスの単語がある。急いで打ったのが一目瞭然だった。

なになに？——ヘラー氏は、突然、眉根を寄せて目を尖らせた。

思うところあって、これから大和地方に行くだって？　何でまた——。

しかしヘラー氏の心を騒がせたのは、次の文章だった。

——シナゴーグを出るとき偶然気づいたが、机の下にLEDライトがついた小さなデバイスを発見。小さな穴があいていて、賢司は盗聴器だといっていた。でも、多分、あのフィリピン人が仕掛けたものだから、もう心配ないと思う——。

なんだって！　何とも説明のつかない靄のような不安が重く心にのしかかってくる。

ヘラー氏は、迷わず会議を中座してマーク・シルファンへメールを打ち始めた。

勝者の剣に潜む王

大和神社(おおやまとじんじゃ)は、三輪山(みわやま)を右手に車で二十分ほど北上したところにあった。

寂しさがしみ込んだような薄墨色の石鳥居に護(まも)られた境内は、同じような寂寞(せきばく)感が漂っている。ひとけのない駐車場に車を駐め、燕(つばめ)のように飛び出すと、二人は二千余年の歴史を紡ぐ社殿を正面に仰ぎながら参道脇の社務所へとつんのめるように足を早めた。

大和神社

社務所に宮司は不在であったが、対応した神職が宮司に連絡を取り、大神神社からのお守りを見せることを条件に新たなお守りを手渡してくれた。金糸や銀糸のあでやかな紋様に菊の紋章が浮かび上がる風格のあるお守りだ。誤ってほかの人にこのお守りが渡らぬようにと、大神神社からのお守りを条件に入れたのだろうか。父のその用心深さに、賢司はまたひとつ自分との類似点を切なく感じる。

お礼をいうと二人は近くの木陰に走り込み、はやる指で和紙をなかから引っ張り出した。

やはり、何か書いてある。もう見慣れた父の字だ。父の想いに両目が僅かに潤む。

神漏岐の兵革に敗者の剱と降り　御魂の背向に正真の王は潜む
まかりし人をよみがへらせるは　失せた神宝の祓詞
幽かな権輿の神の宮に　いまそのときを待ち出

ナオミが、スマートフォンを忙しなく触り出した。

「神漏岐は神のことで……兵革は戦争という意味……。敗者の剣って、スサノオがヤマタノオロチに勝利したとき、尻尾から出てきた剣でしょ？　三種の神器として、いまは熱田神宮にある草薙剣――。で、御魂は……剣の御魂のことだと思うけど――、その背後に潜む王って、誰のことかしら？」

さっぱり、という表情で小首を傾げた賢司を見上げると、ナオミはまた先を読んだ。

「まかりし人は……死者のこと……死者を蘇らせる……。それをするのは、失った神宝の祓詞……」

え？　驚きを禁じ得なかった。

「死者を蘇らせるための、失った神宝だって？」

「あっ、その失った神宝って、きっと十種神宝のことよ。ニギハヤヒが降臨する前にアマテラスから授かった。現在はどこにあるか不明だから」

「でも、籠神社から息津鏡と邊津鏡が出てきているでしょ？　ということは籠神社？」

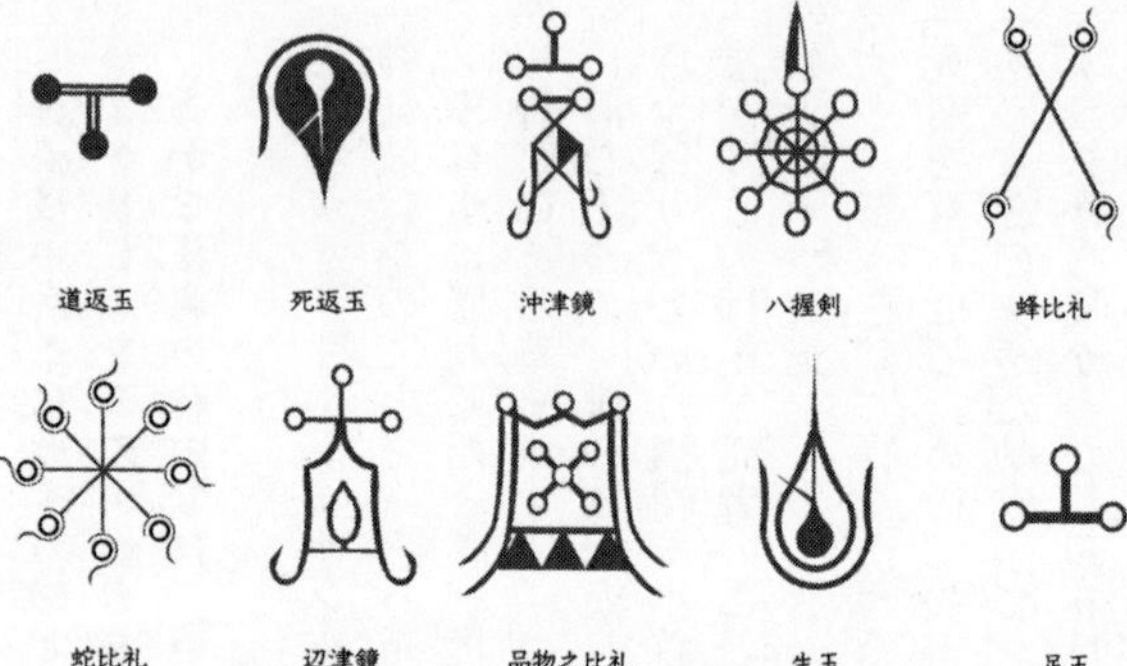

十種神宝とそれぞれを表す記号

「いや、あとの八つは見つかっていないのよ。それに、十種神宝とともに伝わる、死者を蘇らせる不思議な祓詞があるの」

思わず、妙な甲高い声が出た。——冗談でしょ？

だが、ナオミは淡々と続ける。

「日本には、いち、に、さん……、という数え方があるんだけど、なぜか、もう一つ、数え方があるのよ。『ひい　ふう　みい　よお　いつ　むう　なな　やあ　ここの　とお』と数えるんだけど。でもこれって、驚くことにヘブライ語の詩としても理解できるのよ」

賢司はこめかみを筋立てた。

「それって一体どういう意味？」

「『誰がそのうるわしい人を外に出すのでしょう。外に出ていただくためには、どのような言葉をかければいいのでしょうか』というような意味なんだけど。伝承によると、この呪文は、アマテラスが天岩戸に隠れたとき、外から祭司が唱えた祓詞なのよ」

「ええっ⁉」

今度は思わず大声で吠えていた。開いた口は、しばらくふさがらない。死者を蘇らせる呪文を、祭司が天岩戸の外から唱えた？

「ということは、アマテラスは天岩戸のなかで死んでいたということにならない？」

「いやあ、まさか、そうじゃないと思うけど——。私にもよくわからないところなのよ——」

そう白状したナオミは、申し訳なさそうな顔をしていた。

「本当に不思議だね——。で、次の行は？」

「ええと、幽かなは静かという意味。権輿は始まりという意味だから、静かな最初の神の宮。あれっ？　これ石上神宮のことかしら？　静かなところにある神宮だし——」

「石上神宮？」

「ええ。神宮って、天皇家に関する格式の高い神社のこと。でも、伊勢神宮の正式名だけは、単に『神宮』で、伊勢ってついていないのよ。伊勢神宮は別格のザ・神宮だからよ。でも最初は神宮といえば、石上神宮のことを指していたの。というか、伊勢神宮ができるまでは、神宮というのは石上神宮一社しかなかった——ザ・神宮は変更されたのよ」

「で、その石上神宮に剣があるの？」

「ええ、あるわ。——でも、ヤマタノオロチを倒した勝者の剣。あっ、あと国譲りと、

スサノオがヤマタノオロチを退治した剣、天羽々斬（石上神宮では布都斯魂剣として祀られる）

神武東征で使われた布都御魂剣。国譲りでもタケミカヅチが使用した（神宮徴古館　野田九浦　「神武天皇御東征」）

神武東征で使われた剣も祀られているはず。でもやっぱり、その剣も敗者の剣ではないわ」

ナオミは目を細めていたが、また理路を整理するようにひとり呟き出した。

「しかし石上神宮はもともと物部氏の神社――。その物部氏は神道派だったけど、仏教派との戦に敗れ、その後衰退していった――まさに神漏岐の兵革に敗れたのよ。だからこの剣を〝敗者の剣に降り〟と表現したのかも知れないわね——。でもそうすると、〝正真の王〟って、誰のことだろう？　物語的には物部氏の始祖、ニギハヤヒなんだけど——」

　賢司が声を張り上げた。

「石上神宮で物部氏がもともと祀っていたのは、それらの剣の背後にいたニギハヤヒ自身だったんじゃない？　でもその後、ニギハヤヒがアマテラスに乗っ取られて歴史から抹殺されたとき、政治的な圧力によって剣に潜む魂に替えられた——。だから父は、ニギハヤヒの名を蘇らせてほしいという想いを、このメッセージに込めたんだよ」

「あ、そうか——。実は物部氏の氏神社（うじじんじゃ）って、どこも自分たちの祖神（そしん）ニギハヤヒを主祭神として実名で祀っていないのよ。いうまでもなく、氏神社って祖神を祀るための神社なのによ？　不思議、というか不自然でしょ？　こんな大王なのに——。もしかしたらこのこと自体が、ニギハヤヒが秘し隠された証左かも知れないわね」

　賢司も確信の瞳で深く頷いた。

「石上神宮もこの近くだから、すぐ行ってみましょう！」

留守番電話

　その頃、大阪駅近くのホテルの一室では、時差ぼけの気分転換をするため熱いシャワーを浴びていたデービッドが、スマートフォンの留守番電話に気がついた。

テーブル上の墨色の画面に浮かぶ短い通知文を覗き見ながら、頭の軸をそろりと捻ってみる。——清美だった。

髪を拭いていたタオルを慌ただしくベッドに投げ捨てると、デービッドはスマートフォンをつまみ上げ、再生ボタンを爪音を立てながら勢いよくタップした。

「デービッド、このメッセージをきいたら、大至急折り返してちょうだい——」

斉しい絵

石上神宮

二人が石上(いそのかみ)神宮に着いたとき、鎮守の杜は影が重なり合うような仄暗さを帯びていた。

宮司は代が替わっていたが、跡を継いだ宮司が大和神社(おおやまとじんじゃ)からのお守りを見せることを条件に、金庫に保管されていたちりめん生地のお守りを手渡してくれた。

前のめりになりながら参道を小走りで戻り、車になだれ込む。念のため、車外を一度見廻(みまわ)した。

「昔、天皇家は伊勢神宮には参拝しなかったけど、大和地方で主に参拝していたのは大神神社(おおみわじんじゃ)と大和神社とこの石上神宮の三社。だから、きっとこれが最後のメッセージよ。最後の目的地が書いてあるに違いないわ」

いいながら、ナオミが目から期待を溢れさせた。

賢司はナオミに向かって小さく頷くと、ライトをつけ、お守りのなかから前回とはまったく異なるパラフィン紙のような紙を引っ張り出した。

だが、凍りついたような表情で二人は顔を見合わせる。――これは一体、何？

半透明の紙面上に、短く黒い線が、あちらこちらで幾何学的なフォルムをつくっていた。

「日本語でも、ヘブライ語でも、アラム語でも、英語でもないね。何かの記号かな？」

逆さにしたり、透かしたり、裏返しにしたりしてみたが、さっぱりわからない。

そのとき、ナオミが記憶を辿るような口調でいった。

「ねえ、王が探していた賢司のお祖父さんの本――。あの本、私も持っているけど、確かに最後の頁に絵なんてないわよ」

賢司は、リュックから銃弾が突き破った無様な姿の本を取り出した。

函（はこ）から引っ張り出し、おずおずと最後の頁を開いてみる。やはりその絵は、〝のど〟と呼ばれる付け根の部分で、製本後に手貼りで糊づけされたようだった。

「これが彼らがいう〝神の絵〟のことかしら？」

アマテラスの背後の旭日（きょくじつ）が、ちょうど真ん中で痛々しく引きちぎられていた。

食い入るようにその絵を見つめる二人――。

夏虫の音だけが鳴り渡る、張り詰めた静寂が続いた。

しかし、いくら舐めるように見続けてもわからない。秘密なんて本当にあるんだろうか？

悲痛な視線の先では、銃弾で破れ散った穴が空しくあいていた。

しまいに興ざめしたのか、ナオミがダレ気味にぼやく。

「この穴とともに、秘密も永遠に失われてしまったかも知れないわね――」

ナオミは本を受け取り、おちゃらけながら絵の穴を通して賢司を覗き見た。

「ちょっと待った！」

賢司の目が急に尖った。破れた紙片が靡いたとき、何かが透けて見えた気がしたのだ。

「貸して――透かしかも知れない」

裂断された太陽の部分を中央に集め、参道の街灯に向けてみる。

短い日本語の文章が透けて見えた。父の筆跡のようだ。

小口と函背のあはひを見えよ

ナオミが即、スマートフォンで調べ出した。

「ええと、小口は、本の背の反対側の切り口の部分。ああ、ここか。で、函背は、ええと……函は、この段ボールのカバーで、背は、本棚に入れたときに字がみえるこの部分。

で、あはひは、間――。ん？　そうすると……小口と函背の間、ということは？」

「そのカバーの函のなかだよ！」

賢司が叫ぶと、スマートフォンのライトでカバーのなかを照らした。

「なんか、ペコペコしているわね」

ナオミがいうように、背の裏に、同色の別の紙が貼りつけてあるようだった。

「下から糸が出ているわよ。引っ張ってみるわ」

ナオミは函のなかを弄り、糸を摑むとゆっくりと引っ張った。糸は箱の上部まで続いていて、貼りついていた紙が真んなかからきれいに縦一直線に破れた。

賢司がライトを再び当ててみる。

「紙が入っている！」

今度は賢司が手を突っ込み、破れたカバーのなかから縦折りの紙を引っ張り出した。幾重にも折られた和紙だった。豆腐でも扱うように注意深く開いてみる。が――、

「なんだ、まったく同じ絵じゃないか――」

伊勢自動車道

ちょうどその頃イラージは、濃い朱色の夕日をバックに、新名神高速道路を借りたばかりのレンタカーで突っ走っていた。

ダッシュボードにのせたスマートフォンの地図が、もうすぐ伊勢自動車道に入ることを指示している。その行き先は、住所でも、建物名でもなく、緯度と経度で入力されていた。

イラージはアクセルを踏み込み、車をまとめて抜き去りながら呟いた。

「急がねば――」

最初の柱

二つの絵の違いを発見したのは、ナオミだった。

「この函から出てきた神の絵には、ここに作者の名前が入っていないわ。彫師の名前ね」

それをきいて賢司は、母が父と一緒に研究していたことを思い出した。

「本当だ――。ということは、これは異版（いはん）だよ。きっと」

「異版？」

「うん。浮世絵の木版は、耐久性の高い桜の木を使うんだけど、それでもシャープに摺（す）れるのは初摺（しょずり）の二百枚程度。だから浮世絵は初摺が最も価値があって、版元も、絵師も、細部まで最善の注意を払うんだよ。でもその後は、後摺（あとずり）といって版元や絵師も適当に手を抜く――色数を減らしたり、ぼかしの過程を端折ったり。だから価格にも雲泥の差があるんだ。で、色を間違えた〝色違い〟や、間違った版を使う〝異

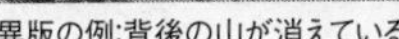

異版の例:背後の山が消えている

版〟も発生したりする——例えば有名な写楽だって、異版が多いので有名なんだよ」

「ということは、恐らくはこの絵の彫師のなかに神官に通じていた彫師がいて、彼が版元や絵師の管理が緩くなったところで暗号を組み込んだ版を作った。彫師のサインが入っていない浮世絵が、その異版を使った暗号の浮世絵ということね」

賢司は頷きながら、さっきの半透明の紙を取り出した。

もう一度ひろげて、まじまじと見つめてみる。すると——、ナオミが、四隅にだけある十字架のような記号を指さした。

「ねえ、これって、〝見当〟じゃないかしら?」

見当とは版画や印刷で複数の版を使うとき、ずれないようにする位置合わせのマークのことである。浮世絵を実際に描いたことのあるナオミも、版については詳しかった。

電光が賢司の脳裏にほとばしった。

「ということは、この紙をその絵に重ねてみよう」

半透明紙の四隅の見当と〝神の絵〟の四隅が、ぴたりと合わさるように重ねてみる。

二人の動きが申し合わせたように同時に止まった。

同じ図版で摺師の名が入っている例と、入っていない例
上は摺師「摺大久」の名がある

やっぱり――。さっきまでまったく意味を成していなかった幾何学的な模様に、透き通った〝神の絵〟が重なり合い、文字となって浮き出てきたのである。
「やはりお父さまとは異なる筆跡ね。ええと――」ナオミがいいながら翻訳し始めた。

君行かば　星降らじとも　神天下りて　小夜烏(さよがらす)うち鳴くらむ
贖(あがな)いの扉いま開(はだ)け　いざやの神殿　神集うなり
然(さ)ては晦冥(かいめい)に忌柱(いみばしら)顕れ　真実(しんじち)の光　かかやき放たむ

「いざやの神殿?」賢司が驚いて遮った。

「ええ。ヘブライ語で『イセ』は、『助け』とか『神の救い』という意味の特別な言葉よ。イザヤの名前もそこから出てきた。そして昔の日本語では、〝いざや〟は〝いざわ〟と同じ――伊勢神宮に間違いないと思うわ」

賢司は言葉を失っていた。――伊勢とイザヤの語源が同じ？

目を瞑って事態を掌握しようとする。やはりそうに違いない――。

伊勢神宮発祥の宮、伊雑宮（いざわのみや）は、南ユダ王国の〝イザヤの宮〟――。ということは、父の籠神社の古称〝吉佐宮（よさのみや）〟は、北イスラエル王国の〝ヨシュアの宮〟ということか？

「どうやら父は、イザヤかその子孫が、日本に来たように考えていたようだね」

「間違いないと思うわ。その次の行の晦冥（かいめい）は、暗闇。で、忌柱（いみばしら）の意味は……えっ？」

ナオミが、オロオロした視線を画面に近づける。

「忌柱（いみばしら）は――、心御柱（しんのみはしら）のことよ！」

今度は、賢司が顔をしわくちゃにして目をオロオロさせる番だった。――やっぱり！

「正中（せいちゅう）を外した、あの心御柱！ やっぱり、あれが謎を解く最後の暗号だったんだよ！」

賢司は、正中を外した心御柱にはメッセージが隠されているという、イラージの推理を思い出す。と、知らず識（し）らずのうちにナオミの腕をグイと引っ張っていた。

「これから伊勢神宮に行こう！」

「望むところよ。本当はこんなことで使っちゃいけないんだけど、ヘラー氏が伊勢神宮の警備とトーラーの関係を調べるときに入手した、敷地内の赤外線センサーの配置図があるわ」

出国記録

ヘラー氏は、マーク・シルファンからのメールを読み始めると、いきなり目を見開いた。

なに？　デービッドとイラージがまだ日本にいる？　出国記録からの情報で間違いない？

思わず跳ねるように立ちあがり、大慌てでナオミの短縮番号を乾いた爪音をたてながらタップした。

が、繋がらない。電波が全然届かないが、山のなかにでもいるのか？

靄のような不安が、胸いっぱいにひろがってくる。あの二人がオックスフォードで王と同期だったのは、単なる偶然であればいいが……。

しかし、いまはリスクを取るような状況ではない。ヘラー氏は、重要マークをつけた短いメールを急いで書いた。

――危険。至急、東京に戻れ。すぐにイスラエル大使館に連絡を取ること――。

しかし、送信ボタンを叩きながらも、不安をぬぐい去ることができなかった。間に合ってくれるかどうか――。

潜入

「行こう」

時計の針は十時七分を指している。車から踏み出ると、二人は蒼い闇に包まれた。

ナオミは無言の返事を返す。その沈黙が戦慄に似た昂りをさらに膨らませた。

数千年の真実が、いま、解き放たれようとしている。

日本の真実が。世界の真実が――。

賢司は途中で購入した縄ばしごと地図をリュックに詰め、懐中電灯をチェックした。父が命がけで伝えようとした真実とは何なのか。その想いと愛情に思いを馳せながら。

伊勢道路沿いを歩き、一之瀬橋の上から内宮の方を見た。闇より濃い静謐な杜の闇が横たわっている。橋の下からは、島路川の墨を滲ませたような深い黒の水面が、静かに五十鈴川の方へと呑み込まれてゆくのが見えた。夜の伊勢神宮は、恐ろしさをかき立てるほど真っ暗だ。

すべては父が残した暗号から始まった。

暗号に秘められたメッセージ。神の絵。託された詞――。

これまで暴いた秘密をすべて知らなければ、自分はいま、ここにいない。その事実にこれまでの推理の正しさを確信すると、賢司は父の最後の詩の一節を思い出した。

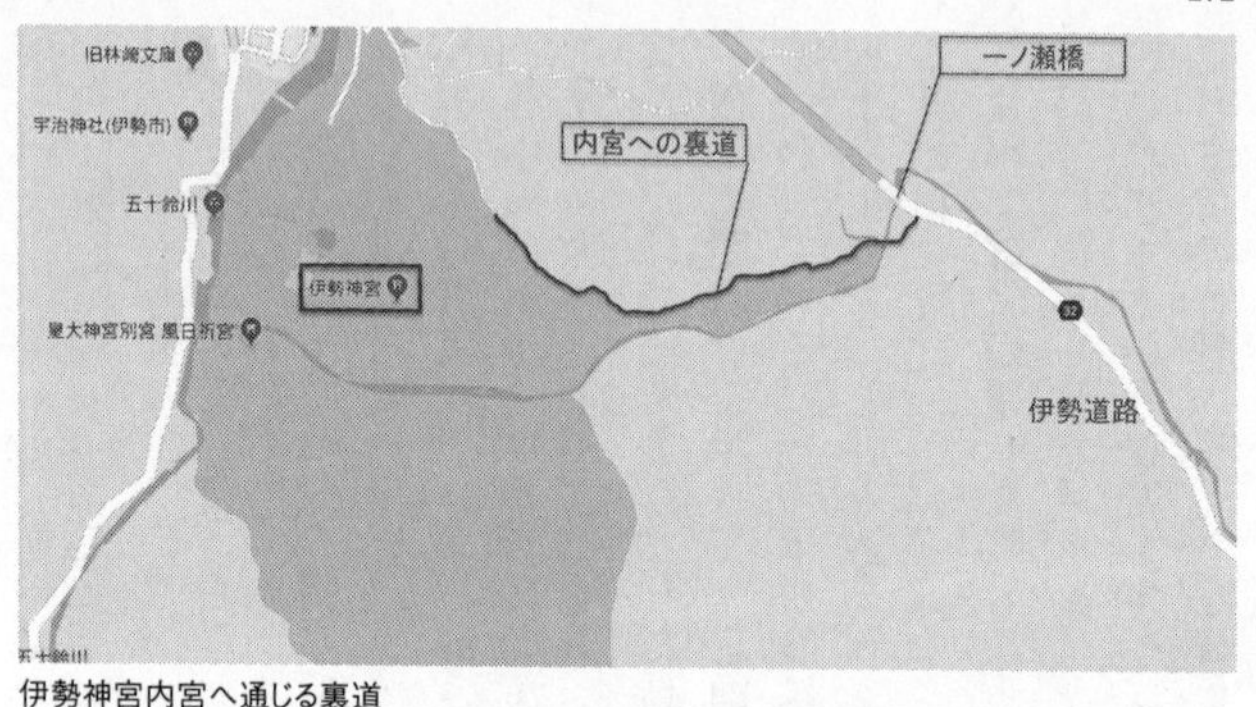

伊勢神宮内宮へ通じる裏道

〝然(さ)ては晦冥(かいめい)に忌柱(いみばしら)顕れ　真実(しんじち)の光　かかやき放たむ〟

　真実は、心御柱(しんのみはしら)にある――。

　賢司は武者震いを随(まにま)に感じると、二人は底のない闇のような杜へと足を踏み入れた。

　今夜は雲一つない月夜のはずだった。しかし押し潰すように覆いかぶさる木々が、すべての光をかき消していた。

　それは、二人が北側の私道を西に向かって進み始めたときだった。

「賢司、ウェイト(待て)！」

　何の前触れもなく、漆黒の鎮守の杜に硬い英語の声が轟いた。

　ハッと立ち止まる……。顔を強ばらせながら懐中電灯をもたげる賢司とナオミ――。

　その橙黄色(とうこうしょく)の光が照らし出したのは、なんと、重い表情のデービッドとイラージだった。

「ど、どうしてここに――」

憚ったような声が賢司の口から洩れる。

「賢司、もうこれ以上進むべきではない」

デービッドは、表情をまったく改めずにしゃべり出した。

「実はシナゴーグで別れたあと、王がすべてを告白したんだ――。奴は、神の絵を盗んだことをニューヨークに帰ってから謝罪するといっていた。でも、もうこれで賢司の身は安全だともいっていた。しかし数日後、奴に大阪に呼び出されると、どうやら盗んだのは偽物だったようで、再び作戦に加わることを強要されて悩んでいた」

「僕もあのあと、王に相談されたんだ。もちろん、必死になって止めたけど。で、オックスフォード時代の友人には、事情を話して悪いけどアメリカに帰ると連絡した。そしたら彼はいま京都大学の教授になっていて、どうしてもというので京都の実家に遊びに行き、一緒に祇園祭をみた。そのとき、偶然賢司を見かけたけど、約束でこの件について話せないことがやましくて、その場を去ったんだ――ゴメン」

珍しく思い悩んだ感情的な声でイラージが口を挟んだ。

「そんなの別にいいよ――」

「そしたら今度は中国大使館から連絡が来た。賢司にはいってなかったけど、僕は実は以前から北京(ペキン)大学で理論物理を教えないかとオファーをもらっていたんだ。でもどうせ軍事目的になるだろうから、二の足を踏んでいた。そしたら今度はうちの家族の弱みにつけ込んで、今回の件も手伝うように条件を出してきた。でもそのやり方がかえって許せなくて、結局は断ったけどね」

賢司が深く頷くと、デービッドが続ける。

「俺も、そんなことはやめるべきだといったんだが、奴は一晩考えたあと、メールを送ってきた。やはり、母のために協力せざるを得ないと。ただ賢司の安全だけは何があっても必ず守るから、賢司には何も伝えないでほしいと。俺はすぐに電話をしたが、奴は電源を切っていて繋がらなかった。で、そうこうしているうちに、今度は清美から連絡があった。大神神社(おおみわじんじゃ)のお父さんが、友だちなら賢司を止めるべきだといっていたそうだ。清美は夜侵入するとしたらこの私道だからと教えてくれて、いまイラージと二人で止めに来たんだよ――」

「賢司、これ以上進むのは危険だ。やめたほうがいい」

イラージも一心に諫(いさ)めている。

「そうか――」

自然とそう洩れた。

ただ――。

「二人には悪いけど、僕はやっぱり行くよ。父の命のメッセージだからね――」

賢司は突き動かす使命感のようなものを声に滲ませた。

「そうか――」

今度はデービッドが同じ言葉を同じトーンで洩らした。

「俺たちも、賢司が一度決心したらひき下がらない頑固一徹者だということは、公私にわたって散々思い知らされてきたよ。でも今回イラージと話し合ってやっとわかったんだけど、結局俺たちはその石頭を信用してやってきたんだと思う。なので二人とも、今日は一度だけしか引き留めないと決めてきたんだ。だから、もう止めない――あとは友として幸運を祈るだけだ」

イラージが、溢れる知的好奇心を抑えきれなくなったようにニヤリと笑みをこぼした。

「でも賢司がここに来たということは――、真実はやはり、正中(せいちゅう)を外した心御柱(しんのみはしら)に？」

賢司はいつもの尊敬と憧れの眼差しを返した。

「さすが、イラージ。僕たちはそう考えている」

イラージは黙って頷くと、今度は明るい口調でいった。

「僕にはそれが何だかわからないけど――。でもニューヨークでお土産話を待っているよ」

賢司は差し出された手を、指が食い込むぐらいに順に強く握りしめる。信頼が滲み溢れる二人の潤んだ視線とぎゅっと握り返された固い握手に、友情の絆を感じることができた。

しかし、すぐに唇をいま一度引きしめ、ナオミが頷くのを確認すると、二人は再び密度の濃い闇に呑み込まれていった――。

敷石

墨のような黒闇のなかを、どのくらい歩いただろうか――。

いきなり直黒い樹木の向こうの月下に、要塞の城壁が立ちはだかるように現れた。内宮の板垣だ。影のように忍び寄り、真下から見上げる。

高い。四メートルはあろうか――。いざのぼろうと思うと、以前見た時よりかなり高く感じる。賢司は少し考え、古い方の内宮の板垣をのぼろうといった。

その選択は正しかった。心御柱は社殿完成後、最後に埋められるからだ。

縄ばしごを放り投げ、注意深く固定する。賢司が最初にのぼり始めた。

足を踏み込むごとに縄が思ったより深くたわみ、縄ばしご全体が不規則に左右に揺れ動いた。運動不足ぎみの下っ腹の筋肉から容赦なくエネルギーを吸い取っていく。板垣と当たって音が出ないようにと、足場に板がついていない縄ばしごを購入したことを少し後悔した。

それでも両手でバランスをうまくとり、息をはずませながらやっとの思いで頭一つ分、垣の上から突き出した。

が、次の瞬間、賢司はその威容にたじろいだ。

東宝殿と西宝殿の間から内宮の正殿が荘厳な光を放散し、これでもかといわんばかりにその存在を誇示しているのである。それはまるで広大な伊勢神宮の敷地全体に降り注ぐすべての月光と星彩を集結したように、鮮明なこがね色に照り輝いていた。昂然(こうぜん)たる神殿は式年遷宮(しきねんせんぐう)でたった二十年前に造営されたものだが、悠久の歴史を有無をいわさず感じさせている。その静かな力強いエネルギーに思わず腰が引けた。賢司は目に突き刺さる光の波を振り払い、思いきって板垣をまたいだ。

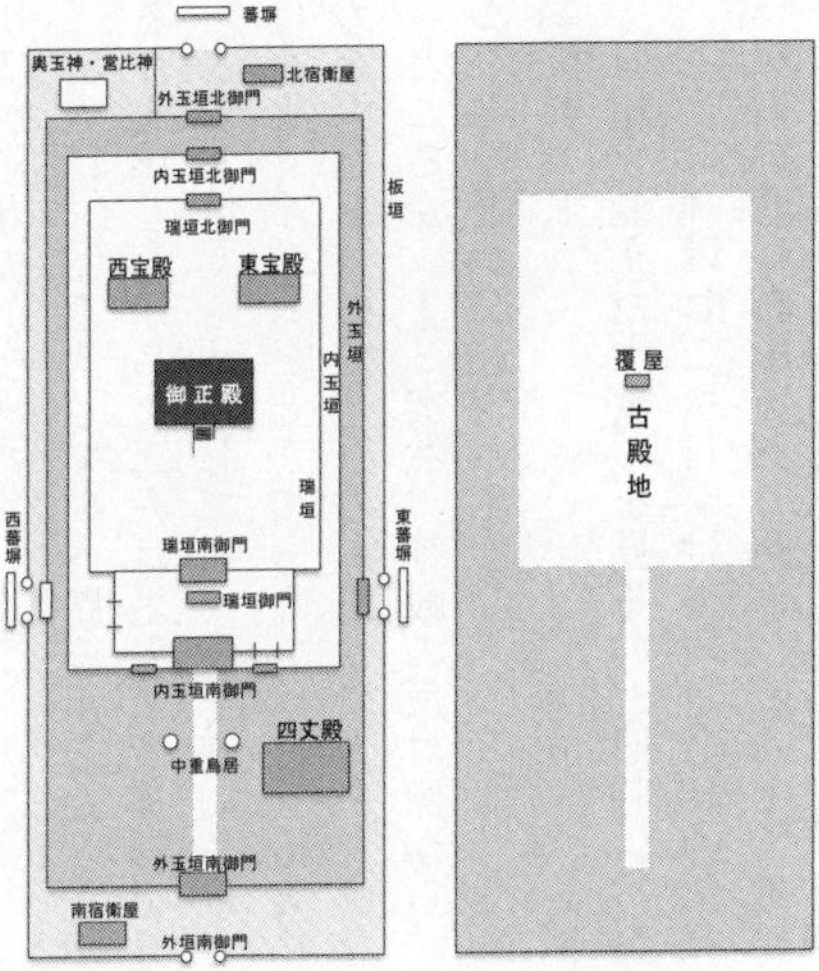

反対側の砂利の上に飛び降りると、やがてナオミも降りてきた。

正殿にたどり着くには、あと三つの垣を乗り越えなければならない。二人は無言で頷き合うと、低めの外(との)玉垣(たまがき)と内玉垣(うちたまがき)を乗り越え、再び縄ばしごを使って瑞垣(みずがき)の内側に降り立った。

敷地には、四、五センチもあろう、白い大きな敷石が敷き詰められていた。

神殿はそのなかにある。音をできるだけ殺しながら、一歩一歩進むよ

内宮御垣内

りほかに方法がない。

二人は、意を決して前へ踏み出した。一歩……また一歩……。緊張で体中から噴き出る汗を感じながら、二人は足先に全神経を集中した。

しかしいくら注意しても、歩を進めるごと僅かに石が削れ合う。その響きをできるだけ小さくすることしかできない。ちょうど中ほどに来たとき、賢司は筋肉が突っ張り始めた両足をついて、眉のあたりに力を入れながら大きく息を吐いた。

ところが——。突然、神殿の反対側から、敷石を荒々しく蹴散らし、素早いテンポでこちらに誰かが近づいてきた。二人は、うろたえた。まずい‼

「戻れッ‼」

血相を変えたナオミを見るのと同時に、賢司は叫んだ。

二人は縄ばしごを目がけて一目散に逆戻りした。が——、

敷石の音は神殿を回り込み、どんどん近づいてくる。賢司は走りながら振り向いた。

しかし、音の主は、正殿の陰に入って姿は見えない。——なぜ声で静止しないんだろう？

これは通常の警備員ではない——。賢司は身の危険を感じた。

二人は猛ダッシュで瑞垣まで走ると、脇目も振らずに乗り越えた。

「急げ‼」

賢司は二つ目の内玉垣をのぼり始めたナオミに向かって叫んだ。

だが石が撥ね飛ぶ音はどんどん近づいてくる。

まずい、間に合わないかも知れない……と、思ったときだった。一度に大量の敷石を引きずる響きが、生温かい空気を引き裂いた。

男が倒れたんだ――。よし、これで間に合うかもしれない。

賢司は胸をなで下ろしながらはしごをのぼり始めた。が――、

今度は音がどんどん遠ざかっていく――。

しばらくすると、騒々しい足音が西側からきこえてきた。

「まずい！　外から回って来るぞ！」

賢司は板垣の上から叫ぶと、「あっちに行け！」と、ナオミに東の杜に逃げ込むように指示をした。自分もほぼ飛び降りるように降り立つと、ナオミを追って海の底のような闇へと飛び込んだ。

しかし、すぐに枝葉をかき分けながら乱れた足音が迫ってきた。賢司は走る。

一瞬振り返ると、洩れてくる月の残光に鈍く輝く白い服が視界を掠めた。

神職か？　なぜ静止を呼びかけないんだろう？

もう一度振り向いた。今度は、男の手元に差し込んだ月明かりで何かが冷光を放った。

まずい――。賢司は前を振り向きざまに「急げッ！」と、もう一度叫んだが、同時に、

「キャーッ！」という絶叫が闇を劈くと、ナオミが視界からぱっと消えた。

何っ――？

真実は放たれるのか

賢司が驚いてひるんだ瞬間、体が急にふわっと軽くなった。——ンッ？

いきなり腰に鈍い衝撃を感じると、狭い暗闇のトンネルを滑り落ちていく。

「ウワッ！」

鈍い音が二回した。胸の深いところから細い空気が洩れて来る——。

気がつくと、二人はひんやりとした硬い敷石の上に放り出されていた。

「ナオミ、大丈夫か？」

「ええ……なんとか……」

賢司は体中の痛みを抑えながら立ち上がると、ナオミを引き起こした。

音はもうしなかった。なぜか男はもう追ってこないようだった。

「ここはどこ？」

ナオミはスマートフォンのライトをつけると、落ち着かない視線であたりを見回した。

薄暗い廻廊（かいろう）が、奥の闇に消え入っている。その先で、黄赤色（きあかいろ）の幽（かす）かな灯りがゆらゆらと洩れ込んでいるのが見えた。

賢司は積み石の壁面に気がついた。かつて、イスラエル大使館が徳島県で調査した神殿と同じ積み石だ。驚いて二度見すると、風化した表層が無窮の歴史を物語っているような気がした。

「自然石だよ、これ。——えっ、まさか神殿？」

「そういえば、外宮は平地にあるけど、内宮は盛り上がった土の上に建っているでしょう？　だから、昔から地下神殿があるって噂があるのよ」

ナオミの説明に、期待と畏れの入り混じった予感がよぎる——。

もしかしたら、ここは父がいっていた〝贖いの扉〟に通じる廻廊か？

突然、灯りのほうから冷やっとした空気が洩れてきた。二人はその方向へ目をやると、思いを固めた面差しで頷き合い、灯りに向かって暗闇を歩き出した。

廻廊は進むごとにヒンヤリしてくる。ちょうど中ほどに来たときライトを消すと、灯りの正体がわかった。廻廊が左に折れ、その先から洩れ込む灯火だ。

二人は曲がり角まで忍び寄り、手前で止まった。音はまったくしない。

「ここを曲がった先が内宮だよ」

ナオミの目は、賢司のその言葉を予知していたようだった。

二人は勇を鼓して廻廊を曲がった。

すると、ナオミがものすごい形相で賢司を睨んだ。

「贖いの扉？」

正面に扉が見える。遠火に揺るぐ何かの符丁が刻印されていた。二人は目を奪われながら歩み寄った。

やがて正体が露わになった。カラスの刻印。二本足だ。

賢司は激しい胸の鼓動を感じながら少しずつ近づき、扉にそっと手を寄せる。力を入れるまでもなく、それは二人を受け入れるように静々と開いた。

なかは幻怪な気が漂うだだっ広い聖域のようだ。二人の視線がほんの一瞬重なり合うと、賢司は勇気を奮い立たせてなかに入り込んだ。

が、急に、ハタと足を止める。つい、短い息が洩れた。

視線の先では、薄暗い部屋のちょうど真ん中あたりで、土がむき出しになっている。

そこに一本の柱が垂直に突き刺さり、不気味なほどの偉容とともに立ちはだかっていた。

まるで人目を避けるために、近くに来る人を威嚇し拒んでいるようだ。

賢司はそのとき、理解した。この位置が正中の位置。これが隠された真の心御柱。

そしていま、千世の封印が解かれようとしていることを——。

「父がいった晦冥から顕れる幻の忌柱は、地下の暗闇から顕れた真の心御柱だよ」

二人は再び足を踏み出した。

しかし柱に近づきその形状が露わになるにつれ、賢司はそれが単なる一本の柱ではないことに気づいた。足が再び止まる。

——?

賢司は一瞬考え、後ろを振り返る。そしてナオミの驚愕した顔を見つめながらその言葉を発しようとしたが、理性が拒み、体が拒否していた。

が、とうとう、恐る恐る、その言葉を口走る——。

「……タウ……？」

ナオミは柱に目を貼りつけたまま、そろりと小首を傾げた。

賢司はハッとして走り寄った。しかし下に置かれた白木の板を手にとって再び振り向いたとき、その愕然とした顔はまったく別人のように為り変わっていた。

「内宮のアマテラスが……名のない神が……、本当は誰なのかがやっと解ったよ——」

ナオミは、その形相を息を詰まらせながら見つめている。

やっと声を絞り出すようにいった。

「賢司——、いま、板の上に四つの文字が見えたような気がしたんだけど、もしかしてあなた——、私が考えているものを見たの？」

賢司は時間が止まったように、固まった表情で言葉を詰まらせていた。

すると、苦悶の呻きのような高い音調の唸り声を、ナオミがまた絞り出した。

「——やっぱり、ＹＨＷＨ（ヤァウェ）だった？」

四文字の神

賢司は、震える手で持つその平板を、虚けながらナオミに向けて裏返す。

朽ちかけた素木の無垢板だったが、擦れがかった文字が厳然と記されていた。

INRI

ＩＮＲＩ――。

ナオミは白目を大きくむき出した。そしてもう一度賢司の目を飛び出したような眼で見つめながら、譫言をいうようにその言葉を発した。

「…… IESUS … NAZARENUS … REX … IUDAEORUM ……」

賢司はその目を見つめながら、地響きのような声で返した。

「そう、その正体は、神の子イエス・キリスト!!」

〝IESUS NAZARENUS REX IUDAEORUM〟とは、『ユダヤ人の王、ナザレのイエス』という意味のラテン語で、ナザレで育ったイエス・キリストの磔刑のとき、十字架の上に掲げられた罪状である。〝ＩＮＲＩ〟とはその頭文字であり、要約した形としてよく使われる四文字だったのだ。

イエスの十字架に掲げられた罪状『INRI』

二人は角度を変え、柱の最上に水平に打ちつけられた横木を確認した。柱はＩの字のように一本の柱だけが立っているのではなく、Ｔの字のような形になっていたのである。

「内宮の本当の心御柱(しんのみはしら)は、地下の正中(せいちゅう)にあるこのタウ十字だったのね！」

ヘブライ語とギリシャ語のT文字をかたどった最も古い十字架、タウ十字。キリストが磔(はりつけ)になったのも、実際はタウ十字ではないかともいわれていた。

「――ということは――、外宮の豊受(トヨウケ)がヤァウェで、内宮のアマテラスがイエス・キリストということかしら――」

賢司はまだ首を傾げていた。が、つと覚醒したようにいった。

「実は原始キリスト教徒にも、失われた十支族のように、忽然と歴史のなかに消え失せてしまったグループがいたんだよ」

イエスの十二使徒：ペトロ（前列左から二人目）がエルサレム教団の初期の指導者だったといわれている

「えっ？　ああ！　エルサレム教団のことね」

エルサレム教団とは、イエスの十二使徒が最初につくった教団のことである。もっとも、キリスト教といっても、彼ら自身は、彼らの教えこそがイエスを救世主とする真のユダヤ教と信じていたのだが――。

しかしエルサレム教団はヘブライ語を話すヘブライニストと、エルサレムでの迫害によって離散したギリシャ語を話し生活習慣も異なるヘレニストたちに次第に分かれていった。後年、キリスト教を世界宗教にしていったのは、シリアのアンティオキアを中心に西に布教していったこのヘレニストたち——アンティオキア教団であった。

「でも分裂後、エルサレム教団ってどうなったんだっけ?」

紀元一世紀、当時ローマ属州の住人となっていたユダヤ人は、ローマ帝国との戦争に敗れ、完全に国を失った。いまでいう離散(ディアスポラ)を経験したのである。

この第一次ユダヤ戦争でユダヤ人は徹底抗戦する。しかしヘブライニストたちは、戦う前に国外へ脱出していたのであった。

四世紀の神学者エウセビオスは、著書『教会史』に、彼らは神からの啓示を受け、ヨルダン川東岸のペラという町に移住したと記している。ところがその後、彼らがペラに定住したという記録もなければ、ほかに信頼できる記録も一切ないのである。

「失われた十支族のように、歴史の混迷のなかに跡形もなく消えてしまったんだ——」

「エルサレムに戻ったのかしら?」

賢司は、さすがにそれはあり得ないと思っていた。ユダヤ人たちにとってエルサレム教団のとった行動は、敵前逃亡の裏切り行為だ。ただでさえ彼らに対する弾圧や迫害がひどかったのに、エルサレムに戻ることなど到底できなかったに違いない。

「ペラがあったあたりはシルクロードの拠点だから、多分、東に行ったという説が最もあり得ると思うけど——。西にはアンティオキア教団がいたしね」

原始キリスト教徒が渡ったペラの遺跡（写真提供:Carole Raddato/ CC-BY-SA-2.0）

「その一部が日本に来たということ？」

「彼らか、彼らの子孫の一部が、秦氏となって日本にやって来て、キリスト教、というか、キリスト派ユダヤ教を日本で布教したんだよ」

そういいながら、賢司は頭のなかのカオスを、筋道立てて収拾を図ろうとしていた。

「最初、失われた十支族が渡来したとき、もともと日本にいた住人は森羅万象すべてに宿る八百万の神を信じていた。しかし十支族自身も多神教者だったため、大きな混乱なく二者の信仰を融合することができた。そして、その王権を譲り受けたのが、のちに渡来した南ユダ王国のダビデ王の後継者たち。つまりイザヤが出国させた一神教者、王家ユダ族――。でも、失われた十支族の宗教も、ユダ族と同じくユダヤ教をベースにしていたから容易に融合できた」

「そして預言通り、東の島々の国、日本に平安京（エルサレム）が築かれたのね――」

「そう、しかしその後、新たに渡来してきた秦氏によって天皇は原始キリスト教に改宗する。あの三柱鳥居がある木嶋神社の元糺の池で洗礼して――」

「これまで日本に天皇は百二十五代いるけど、そのうち諡に〝神〟という字がつくのは、たった三人だけ——失われた十支族、北イスラエル王国王家の神武天皇。イザヤが出国させた南ユダ王国王家の崇神天皇。そして、秦氏を日本に受け入れた応神天皇——。つまり八百万の神と融合させた神武、一神教と融合させた崇神、そして最後に原始キリスト教・景教と融合させた応神——」

「三人とも〝神〟道と関わる功績をあげた天皇——」

「やっぱり今日の神道は、八百万の神々と唯一神の信仰の融合だったのね。実は私、昔から、どうも日本人のいう『お天道さまが見ているから、悪いことはできない』っていう発想の根底に、一神教の考え方があるんじゃないかと思っていたのよ。でも聖書の世界の始まりは神から自然が生まれるけど、日本神話では逆に自然から神が生まれる。宇宙の成り立ちからこんな決定的な違いがあるのでどうしてもその考えに確信がもてなかったんだけれど、むしろこの対照で日本神話の作者たちが暗示したかったのは、日本に来た一神教信者たちは日本古来の神道をイラージがいうように〝乗っ取った〟のではなく、ほかのどんな地域でも経験したことのない日本の素晴らしい自然に帰依して自分たちの信仰を八百万の神々に近づけ融合し、自らもミズラを落として日本人になっていったということじゃないかしら」

「うん、きっとそうだよ。だから伊勢神宮の神は、山や川に宿る神や祖先神とは本質的に異なる、もっと大きな、名のない元初の神を合祀した習合神。モーゼの十戒で空虚な願いをしないよう戒めているように、伊勢神宮で個人的なお願いをしないのも、それが理由だよ」

「確かに、日本は神仏を習合できたわけだから、それも十分あり得るわね——。ところがのちに仏教勢力の力がさらに強くなると、政治的にその経緯を隠す必要が出てきた。だから秦氏は、アマテラスを木嶋神社の祭神から外しそれをメッセージとした——。でも、ということは、あの大嘗祭の唯一の神座におられる神は一体誰かしら?」

ナオミはまだ首を傾げていた。

大嘗祭では天皇が神との食事を済ませ、神座に一度臥したあと、再び起き上がる。それが済んで天皇になり、霊的にも現人神になる。

何かに似ている——。

そうだ。賢司は、それとまったく同じプロセスを思い出した。

「その儀式は、キリスト復活の疑似体験の儀式だよ。天皇が横になるのは、キリストが一度死んだことを模倣するため。食事はイエス・キリストとの最後の晩餐。白地の織物、麁服と繒服は、磔刑のあとキリストの身を包んだ聖骸布と御顔を覆ったスダリウム——」

ナオミは頷きながら鋭い眼を見開いた。

「あっ、そうね。アマテラスは、スサノオが暴れたので天岩戸に隠れたのよ。つまり自分の罪ではなく、ほかの神の罪を償って死んだ。そしてそのスサノオは、太陽に対して犯した〝原罪〟を負って地上へと追放された——そこまでキリスト教と同じ構造ね。やはり祭司が死者を蘇らせる祓詞を天岩戸の外から唱えたという伝承の通り、アマテラスは天岩戸のなかで一度死んでいた。昔から日本語では『お隠れになった』という言葉は、高貴な人が『お亡くなりになった』ということを意味しているのよ」

「この父の絵も、どこで見たかやっと思い出したよ。これはキリストが復活したときの絵だよ」

磔刑で人間の体は死に、その後、神として蘇る。ユダヤの横穴式の墓から顕現し、この世に再び栄光の光をもたらしたときの復活の絵——。

「やはり父が残してくれた絵のなかに、すべての秘密が隠されていたんだ。このアマテラスが主人公として登場する唯一の日本神話に——」

キリストの復活

「タウの持つ意味の一つは、光。まさにあの絵にあった〝真実の光　かかやき放たむ〟ね」

「うん。大嘗祭とは、イエス・キリストの死と復活を疑似体験する儀式――神から受ける王権を継承するための儀式。つまり大嘗祭のたった一つの神座にあられるのは恐らく――、ＫＡＭＩ、アマテラスであり、ＹＨＷＨ、ヤァウェであり、ＩＮＲＩ、神の子イエス・キリストのことだったんだよ！」

その衝撃の真実に、ナオミはしばらく額に皺を寄せ、焦点の合わない瞳でたじろいでいた。

そのまま、虚ろな目で、

「でも――、だとすると、なぜ歴代天皇は伊勢神宮に参拝しなかったのかしら？」

最後の真実とは

「それはきっと、この地下神殿に何かまだ大きな秘密があるからだよ。多分、その隣の本殿――」

賢司はそういいながら奥にある部屋を目で示した。

その視線を追ったナオミは、まるで息が止まったような奇妙な音を上げる。賢司も一瞬のうちに凍りついた。

小暗い本殿の前で、二本の柱が入口を守護すべく両側に直立している——予て在したソロモン神殿のように。その脇に、誰かがひっそりと立っているではないか。

男は人形のようにまるで気配がない。さっきの男とは異なる暗色の装束を纏っていた。

賢司は自分の目を疑った。

「叔父さん——？」

唖然とするその口から、力の抜けた抑揚のない声が出た。

海部宮司は、薄暗い部屋の前で凍ったように立ったまま、身動き一つしない。二人は駆け寄った。

「叔父さん、いや、海部宮司——。本当は、伊勢神宮は日本人の——、というよりは、人類統合の祈りの場で、内宮の主祭神とは、アマテラスであり、ヤァウェであり、イエス・キリストのことだったんですか？」

宮司は、正面を見据えたまま表情を一切変えなかった。しかし、そのとき——。

突然、奥の部屋の引き戸が開くと、五、六人の神官が溢れるように出てきた。

だが最後の神官が戸を閉める直前、賢司は奥の祭壇にとんでもないものを目撃した。

思わず、ハッと息を引き切る——。

まるで沈み込んでいくような深い鮮黄色にひかめく黄金の箱。その上で、孤高の面差しで真実を見続け、気高く広げる両翼で天穹に向かって清風を切る二体のケルビム——。

それはまさしく契約の箱、アークだった。ほんの一瞬間の、幻影のような出来事だった。

心をひと突きされたような衝撃が、賢司の胸元を抉る。予想はしていたが、いざとなると自分の目を疑わざるを得ない。

いま見たものは幻か？　本当に、いま見たのか？

神官が海部宮司の隣に並んだ。いまようやく気づいたが、そのうちの一人は小橋で、一人は諏訪大社の兼平宮司ではないか――。

小橋は杜のなかで追ってきた神職と同じ服装で、息も荒く、目も血走っていた。

「宮司、それが本当なら、世界中の争いが抑えられるのに、なぜ公表しないんですか？」

宮司はそれでも反応しようとしなかった。

しかし父の最後の姿を瞳の底に蘇らせながら、賢司は、「なぜ⁉」と、叔父に詰め寄ろうとする。

だが――、

小橋が半歩踏み出したかと思うと、腰元で鯉口を切る音が小さく閑寂に響いた。張り裂けそうな威圧感を全身から漂わせている。いまにも斬りかかってきそうだった。

ピクリ、と賢司は止まった。眉を立て、半口を開けながら、小橋の手元をじっと見つめている――そのまま殺気ばった沈黙が流れ続けた。

その横で、兼平がこちらに向かって顔を小さく横に振っているのが見えた。以前、諏訪大社で呈した目とは異なる慈愛に満ちた目で――。

賢司はゆっくり後ろを振り返り、ナオミをジロリと見る。

ナオミは目を伏せ、口を噤みながら何かを考えていた。

静寂がしんと響くなか、神火の淡い風声が、微かにたゆたう幽玄な気配に染み入っていく。僅かだったが、途方もなく長い時間に感じられるような間があった。

ナオミは視線を上げた。眼の奥には畏怖の念が溢れている。首を一度横に振った。

「……ここから先は……神のみが決められる領域……。……ということだと思うわ……」

その声は、敬畏で震えているようだった。

再び、ナオミはゆっくり目を伏せた。

すると、深い静寂がまた舞い降り、二人は万劫（まんごう）の歴史の趨勢（すうせい）へと引きずり込まれていった——

エピローグ

賢司は冷めた珈琲（コーヒー）をゴクリと飲みながら、窓の外でどこかへ飛び立つ小さな飛行機を、静穏な瞳で追っていた。同じ軌跡を追っていたナオミが呟く。

「この数日間で起きたことは、自分でも信じられないことばかりだわ」

「大丈夫。こんな話、誰にいっても信じてくれないよ」

いいながら、本当にそうだろうと思う。

「でも、ナオミ、本当にアークを見なかったの？」

ナオミは空恥ずかしそうな笑みをこぼし、頭を二、三度横に振った。

「ええ、私、小橋さんが出てきたら、もうビックリしちゃって。顔を唖然と見続けちゃったのよ――。でも、それも、神の思（おぼ）し召しかも知れないわ」

正直なところわからない。しかし、賢司は、そうかも知れないと目だけで返事をした。

「でも、そういう賢司は本当に見たの？」

賢司は少し考えて低い声を洩らすと、

「いや、実は、そういわれてみるとあまり自信がないんだよね。本当にそうだったのか――」

と、余韻の残るようないい方をした。

そうきくと未練を断ち切れたのか、ナオミは少し気分を持ち直したような表情になる。探るような眼できいた。

「でも、賢司が一歩踏み出したときの小橋さんの顔を見た？」

「いや、手元の太刀の方に集中していたから……どうしたの？」

「ものすごい殺気だったんだけど、すごく優しい目をしていたのよね。お願いだから、もうこれ以上近寄らないでくれって感じで」

そう、と小さくいいながら、賢司は剣山の洞窟で見た小橋の殺気だった目と、優しい言葉の不可解なコントラストを思い出していた。

秘密を暴こうとする敵。同時に、守るべき血筋の人。複雑な小橋の心中に思いを馳せる。

「やっぱり、心のなかは優しい人なのかな」

「あの剣山での、どこか憎しみを抑えているような目と、ちょっと違っていたのよね」

小橋に同情的なその口調に、賢司は同じようなものを感じながら、一度浅く頷いた。

「実は今朝、叔父と父の葬儀のことを話したとき、僕もなぜか小橋さんのことが気になってきいてみたんだ。そしたら小橋さん、八咫烏から外れるんだって――」

「なぜ？」

といったナオミの視線が、宙に揺らいだ。

「あのヴォルターってスパイは、昔、小橋さんと同じ神社で神職をしていたらしいんだ。で、そのとき、一度ヴォルターに命を救ってもらったことがあるんだって。理由はともあれ、その命の恩人を殺めたショックかららしい。正当防衛だし何も問題なかったから、大分引き留めたらしいんだけど。どうしても神道の『産霊』の理解をもう一度初めから極めたいと。下鴨神社宮司のお父さんのもとで」

ナオミは、ふうん、と長い溜息をつくと、「産霊って、確か万物を生成、発展させることでしょ？ なんか、私たち俗人には理解できない境地ね」と、今度は硬い表情でいった。

賢司も、正直そう思った。そして神道の秘密を知りながらも、小橋をのめり込ませていく、その単純にして奥深い信仰に改めて敬意を持った。

日本の美しく恵み豊かな自然から生まれ、日本と世界の謎、秘密、タブー、真実——そのすべてを包み込みながら、終古の人間の営みと自然との対話のなかで醸成されてきた信仰——。

もしかしたらトインビーが示唆したように、神道こそが、すべての宗教をまとめることができる宗教の原点なのかも知れない。そう考えると、小橋の決して友好的でない態度に対して、なぜか自分が嫌な気持ちを抱いていない不可解さも、ちょっとだけ理解できたような気がした。

しばしの沈黙のあと、賢司は小橋に対する不思議な胸懐を、冷めたコーヒーとともに一気に飲み込んだ。

「あと、デービッドとイラージとも、電話が繋がったよ。——まだ、あのあとなにがあったのかは、伝えるガッツはなかったけどね」

そう努めて明るくいったが、賢司は王のことをまだ二人に伝えていなかった。

いや、正確には、伝えられていなかった。どうやって伝えていいかさえわからない。

「そう……」

腹から力の抜けたその声から、賢司はナオミも同じように王のことを顧みているんだろうと思い做していた。

二人はしばらく黙っていた——。

やがて、気持ちの整理がついたようなナオミの声がきこえてくる。

「でも、私、稲荷神社という名前を最初にきいたとき、ちょっと怪しいと思ったのよね」

「どういうこと？」

「だって『稲荷』は昔、『伊奈利』と書いていたし、完全な当て字なのよ。じゃ、日本語で『いなり』って何か意味があるかというと、何にもない。で、INRIをヘブライ語で読めば『イナリ』でしょ？　おかしいなと思って調べたら、公開された総本宮伏見稲荷大社の祝詞の秘文の冒頭に、『それ神は唯一にして、御形なし。虚にして、霊有り——』って書いてあったのよ」

「えっ、本当？　神は唯一？　——それって、一神教そのままじゃない」

「ええ、しかも日本では、ちょうど平安時代から『ハタもの（機物）』という言葉は、磔用の十字架や磔にすること自体を意味していたの」

少し考えて、賢司は感慨深そうに数回頷いた。

「それに――」

「えっ？　まだあるの？」

「ええ、昨日、本当の心御柱（しんのみはしら）を見るまでは単なる偶然と思っていたけど、とびっきりすごいのが――。京都の平安京ってよく碁盤の目の形に喩えられるんだけど、実はよく見ると、両側の正方形の部分を除くと、なんとタウ十字の形をしているのよ。で、イエスの頭のあったところに天皇が居られた大内裏（だいだいり）があって、その大内裏の元の位置の北側、つまりイエス頭の上、ＩＮＲＩの罪状版があったところに、稲荷神社の総本宮伏見稲荷大社のもととなった元稲荷（もといなり）と呼ばれる義照稲荷（よしてるいなり）神社があるのよ」

賢司は一瞬、固まったまま大目を開いて驚いた素振りを見せるも、すぐに、

「――でももう、何も驚かないよ」と微笑みをこぼした。

それを見ながら、ナオミも微妙な笑みで頷いている。だが、思い出したようにきいた。

「そうね、でも、これからどうなるのかしら？」

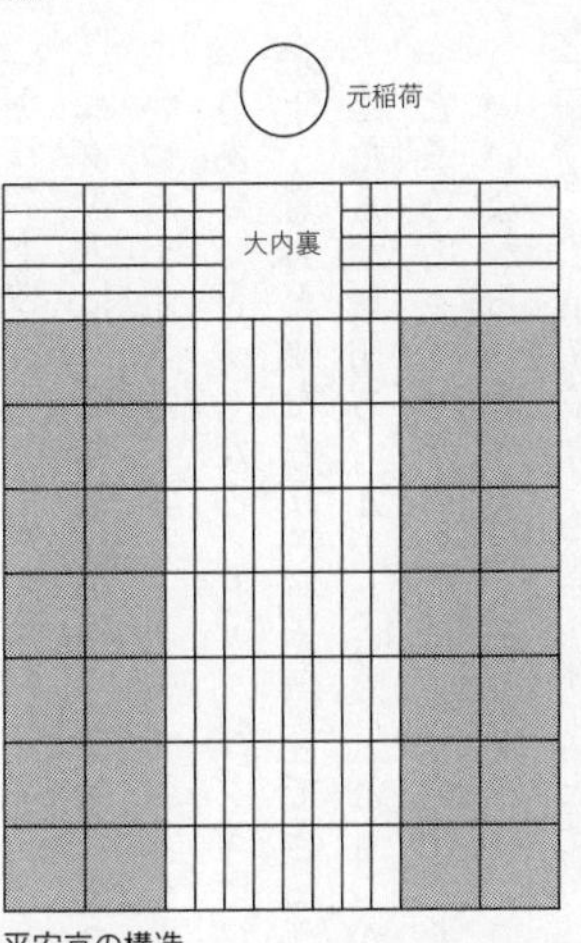

平安京の構造

「キリスト教徒は、世界が終わりに近づくとき、キリストが再臨すると考えているからね」

「ユダヤ人は、その最後のメシアはイエスではない、と信じているけど」

いったナオミは、肩をすくめておちゃらけてみせる。

「さあて、どっちだろうね？　ユダヤ暦によると、そのときまで残すところ、あと二百余年。意外と僕たちがそれを確認できるかも知れないよ」

こたえた賢司も、冗談とも本気ともつかない笑い方をした。

「ところで、イザヤ書の四十一章の出だしの部分、賢司知っている？」

いいながら、ナオミはスマートフォンで検索して読み上げる。

「『島々よ、わたしのもとに来て静まれ。国々の民よ、力を新たにせよ。進み出て語れ。互いに近づいて裁きを行おう。東からふさわしい人を奮い立たせ、足元に招き、国々を彼に渡して、王たちを従わせたのは誰か』——この東からふさわしい人を奮い立たせって、日本の天皇のことかしら？」

「さぁ、それはどうかね。キリスト教では、そのあとの『わたしの支えるわたしのしもべ』っていう表現は、イエスだってことになっているけど。でも、たしかにイエスは東からも島々からも来なかったから、ちょっとその解釈じゃおかしいかもね——」

「『死海文書』には、メシアは二人現れるって書いてあるの知っているでしょ？　ユダ族ダビデの家系と、レビ族アロンの家系で。天皇だったらどっちの可能性もあるわね」

賢司は笑いながら頷くといった。

「うん。しかも旧約聖書には、メシアは王であり司祭でもあると書いてある。それだけきくと天皇そのものだよね」

「でも、本当に、彼らはいつまで秘密を公開せずに守っていくつもりなのかしら？」

ナオミの質問に、賢司は長い溜息をついた。

「恐らくは、彼らがいましているように、まずは日本人が忘れている神道を、少しずつ思い出させるってことなんじゃない？　秘密を開示しながら」

「それからアークは、本当は日本にあると発表するの？」

「いやあ、それはわからないよ。発表するのか、自然に出てくるのか。でも、日本人の心から神道が失われつつあるようだからね、いまの状況では。こんな状況でもし出したら、イザヤが心配していたように、なんだかんだで外国にとられちゃうと考えているんじゃない？　だから最初、神道を蘇らせようと――」

ナオミは少し時間をおいて、うん、と小さな声を出して頷いた。

賢司は、そのナオミを穏やかな目で見つめると、

「本当にこれからは、神のみぞ知る世界――。でも、天皇家にはダビデやエフライムの血のほかに、ペルシャやアラブや中国、朝鮮半島からの血も恐らく入っているだろうから、そのときになったら、何か本当に重要な役割があるかも知れないよ」

といいながら、父がなぜこのことを命に代えてまで伝えようとしたか、その本当の意味を自問自答しようとしていた。そして、

「もしかしたら、父の行動の本当の意味は、これから知ることになるのかも知れないね」

そう洩らすと、今度は染めたような深い青空の向こうを、強い眼で見つめた――。

「二人はいま、どこにいる？」

「そこをまっすぐ行ってください。左から二つ目の店、窓際の一番奥のテーブルで二人はコーヒーを飲んでいます」

いつもの小橋の声ではなかった。斎主はその瑞々しい声音に新たな希望を感じたような眼差しで電話を切ると、珈琲を買い、偶然を装いながら二人のほうへと歩いていく。

近づいてくる男に何気なく視線をやった賢司は、跳ねるように立ち上がった。

「あっ、度会さん！」

斎主も賢司に目を留め、呼び覚まされたような表情を見せる。

「ああ、賢司さん！　これは偶然ですね」

「ええ、本当に」

「私はこれからロンドンですが、賢司さんはアメリカにお帰りですか？」

「いや、ナオミは今日帰国しますが、私はやはり、父の葬儀に参加してから帰国しようと考えています」

きっぱりとそういうと、賢司は向かいに清々しい顔で座っているナオミを紹介した。

度会は自己紹介を済ますと、気持ちを抑えたような声でいった。

「そうですか、あなたがナオミさんでしたか——。実は先日、賢司さんのお父さまの事件を担当しているニューヨーク市警のウェッカー警部と話す機会がありまして、お二人のお父さまの事件で使用された銃弾も線条痕も一致したそうです」

脇から賢司が皿のような目で遮った。

「えっ？　でも、私の元同僚だったウィリアム・王が私の父殺害の犯人なのでは？」

「いいえ、それは違います」

度会は賢司の目を見つめながらしっかりそういうと、澱みない口調で説明した。

「ウィリアム・王は犯行日の朝にロンドンから帰国しています。ウェッカー警部は入国時の記録、虹彩、指紋、そして空港のビデオでも確認したといっていますから時間的にあり得ません。逆に昨日死亡したヴォルターという中国の諜報員が、賢司さんのお父さまの事件の前日ニューヨークの空港から米国に入国し、当日出国しています。ヴォルターの資料を日本から送りましたが、ウェッカー警部は、ヴォルターが事件当日ホテルのバーからお父さまたちのあとを追ってエレベータに乗ったことをホテルのビデオで確認したといっていました。変装はしていたようですが、顔認証システムで一発でバレたようです。彼が犯人ということで間違いないでしょう」

その説明を半口を開けて啞然とききながら、賢司は王が最期に口元に寄せた微かな影を思い出していた。

あれは父の殺害に対する謝罪を述べようとしていたのではなく、その疑いを少しでも晴らして人生の最後を迎えようとしたからだったんだ。そして無言の一筋の涙は、たとえそれが叶わなくても、ありがとう、とだけは伝えようとした涙に違いない――。

すべてのパズルのピースが収まったような気がした。賢司は王の最期の顔を思い起こしながら、心のなかで謝罪し、ありがとうとだけ伝えた。

僅かな沈黙のあと、

「そうですか。実は、私自身はそんな気がしていたんです――」

ナオミは潤んだ目でそういうと、度会にゆっくりと頷いた。

賢司はナオミと視線を交わして小さく頷くと、度会に日本であったことを簡単に説明したが、伊勢神宮で起きたことにはあえて触れなかった。

「それは随分大変でしたね。でも、ニューヨークでもお伝えした通り、あまり深入りしないほうがよろしいかと」

いいながら度会は、乾いた笑みを浮かべ探るような視線を二人に送っている。

「ええ、僕たちも、もう深入りするのはよそうと思っています」

そう本音を吐いた賢司に念を押すように、ゆっくりと頷いた。

卒然と、賢司が問いかけた。

「ところで度会さんのご家系は、伊勢神宮が創祀(そうし)されたときから大宮司(だいぐうじ)でいらっしゃるご家系とうかがいましたが」

ぶしつけな問いに不意をつかれたような表情を見せながら、度会は少し時間をおいた。

もう一度、それとなく二人の目の底を見つめている。

すると、腹を決めたように呟いた。

「ええ。伊勢神宮の原型は、度会郡というところに私の先祖がつくったんです」

さりげなくあたりを確認するように見回す度会――それに一つ、いい添えた。

「そして日本人がいつか思い出すように、イエス・キリスト誕生の年に伊勢神宮が創祀されたという歴史にして、内宮の別称をイエスの御名イスースから五十鈴宮（元は伊須々御宮）としたんですよ――」

ちょうど、そのとき――、

度会のポケットで電話が静かに鳴り出した。

咄嗟に賢司が、どうぞ、と眼でいう。籠もった響きは、はっきりはきこえないが、懐かしい旋律にも感じた。初めて度会とニューヨークで会ったとき、正反対の立場で「どうぞ」と眼でいわれ、父からの手紙を読んだシーンが瞼の裏に蘇る。

度会は失礼します、といいながら静かに立ち上がった。

そして、背を向けながらスマートフォンをポケットからスッと抜き出したとき――、

鋭く澄んだ声が宙に舞い上がった。

♬ And she's buying a stairway to heaven ――

【了】

籠神社の絵馬に残る六芒星

あとがき

　私が最初にひょんなきっかけで、古代日本にユダヤ人が来ていたという話を耳にしたときは、なにかの冗談かと笑ったのを覚えています。しかし二つの文化、宗教間に存在する不思議な共通点の数々をきいていくうちに「偶然だとしても面白いね」から「もしかしたら……」と思うようになり、自分で調べ始めると、やがて「合理的に否定するのは難しい」となっていきました。ですが、この時点では、まだ私の頭のなかで種々の証拠は分散されたかたちで存在していました。

　俗にいう〝日ユ同祖論〟は、明治時代初期の日本に滞在したスコットランド人商人が気づき書籍化した、古代イスラエルと日本のさまざまな共通点に関する研究成果に始まります。以降、多くのユダヤ人や日本人によって研究が進められますが、なかには単なる文字遊びや、オカルトチックで根拠に乏しい証拠もあるものの、本書で紹介したように史学や考古学で十分堪えられる証拠も多数存在しています。ところが実際、それらを日本の古代史という時間軸に当てはめるとどういうことなのか、という視点で全体像を矛盾なく説明できるモデルは存在しておらず、まだなんとなく絵空事のように思えていたのです。

　私はさまざまな書籍や文献を読み込み、神社を訪れ、神職に質問し、研究者に話を伺い、とうとう日本とユーラシア大陸の古代史、神話、聖書、伝承と整合性を持つ一つのモデルを構築しました。いや正確には構築ではなく、暴き出したと表現する方が正しいのかも知れません。

その骨子とは、本書で示したように、旧約聖書にある〝東の果ての海にある聖書を知らない島々の王国〟とは日本のことで、その日本には、ニギハヤヒ、神武、崇神、応神天皇の時代に幾つかの波に別れながら失われた十支族のほか、王家ユダ族もアークと共に渡来し、最後にやって来た原始キリスト教徒や景教徒とともに平安京を築いたこと。そして日本で王朝を築いたユダヤ人たちは、他国にたどり着いたのちもアイデンティティを維持し続けたユダヤ人とはまったく異なる道を選び、最終的には恵み豊かな日本の自然に帰依し、自らミズラを落として婚姻を通じ日本人となっていったこと。さらには、伊勢神宮とは人類統合の祈りの場であり、アマテラスの正体は、心御柱と大国主のなかに封印されたニギハヤヒに、大日孁貴（オオヒルメムチ）や名のない元初の神を合祀した習合神であるというものです。因みに本書出版当時、これと同じ説を書籍やネット上で掲げた方は私の知る限り存在していません。こうしてすべてのピースが綺麗に収まったとき、私は「ユダヤ人は間違いなく古代日本に来ていただろう」と思うようになりました。

時を同じくして、日本国史学会の発起人で東北大学名誉教授であられる田中英道先生が芝山古墳から出土した埴輪などから古代日本にユダヤ人が渡来し、日本の発展に大きく貢献したという論陣を張られていました。私の知る限り、この問題がアカデミズムで取り上げられるのは戦後初めてのことです。国内外の学会で精力的に研究成果を発表され、近年、イスラエルの学会からも驚きをもって好意的に評価されたとのことです。ユダヤ人が古代日本に渡来し日本の発展に大きく貢献したという事実は、巷のトンデモ話や都市伝説から、いまや日本史と世界史の正式な一頁になろうとしているのです。

日本人の歴史にユダヤ人が大きな影響を及ぼしたということをきいて感じることは、人それぞれでしょう。私の場合、「なぜこの話を、いままできいたことがなかったのだろう?」が率直な感想でした。今世紀初頭、慰安婦問題が海外で大きく騒がれていた頃のことです。

しかしその理由を調べているうちに目の当たりにしたのは、学校やメディアは、古代史や近現代史の多くについて意図的に事実を曲げ真実を隠しているという、まったく思いも寄らなかったとんでもない事実でした。しかも経済、安全保障、国際政治において優位に立つために、今日においても日本人の頭のなかになにが入り、なにをどう評価するかの基準でさえ、外国人やその協力者たちが決めているという、とても信じられないような恐ろしい現実です。

スポーツでも間違ったフォームを習い続ければ、上手くなるどころか、どんどん下手くそになっていきます。柔道では人を投げられるようにはならないし、ゴルフのボールもまっすぐ飛ぶようにはなりません。戦前教育を受けた世代が奇跡的な高度経済成長を成し遂げたあと、世界中が歴史的な好景気に沸くなかで日本が経済で一人負けし、自信や誇りさえなくした〝失われた三十年〟に苦しんだ原因の一つは、戦後教育を受けた日本人が、デタラメな自虐史観から得た間違った教訓をもとに行動し続けたことだったのです。

その後、世界的な歴史学者トインビー氏の〝これまで世界の歴史のなかで、十二歳までに自民族の神話を教えることを止めた民族は、すべて百年以内に消滅した〟という言葉に触れた私は、『アマテラスの暗号』を書くことを決心しました。結論に賛成でも反対でも、読者の方に、私が気づいたようにまず古代史・近現代史の偽りや背後の政治的意図に気づき、自分なりの結論を得るために歴史を調べて貰いたかったからです。そして私たちの子どもの代まで、こんな負の遺産を残してはいけないと考えたからです。

これまでイデオロギーで曲解した歴史を国民に押しつけてきた人たちは、反対意見にレッテル貼りをしながら、不都合な情報には蓋をして見て見ぬ振りをしてきました。野球でいえば、敵チームに対してはホームランやファインプレーなどだけをメディアが報じ、自チームに対してはエラーや三振など元気がなくなるようなことのみを報じ続けたようなものです。しかも裏から監督にまで手を回し、選手が自チームを嫌いになるような悪口を毎回ミーティングで吹き込んできたのです。まっさらな子どもの心にこんなことを洗脳すれば、誰だって自信を喪失し卑屈にならざるを得ません。しかしネット時代となったいま、幅広い情報を得て立体的なピクチャーを描くことが容易となり、誰が重きています。

要な一次資料から逃げ回りながら印象操作をしたり嘘をついているかが明らかになって

あらゆる分野でグローバル化が進む今日、日本がこれからもいい国であり続けるためには、自分たちの歴史を公正に顧みて、そこに大きな根を張ることが必要であると思いました。海外で長期間過ごした日本人であれば誰でも知っているように、若い頃、長期にわたって海外にいた私も、日本がどんなに素晴らしい国であるかを知っていたからです。間違っても、これまでの三十年間のように、外国人が優位になるような政治的意図のもとに押しつけた歴史認識から、自らの歴史、伝統、文化、価値、信念を否定したり捨てるようなことをし続けてはならないのです。

本書のテーマである古代史、神話、宗教は比較的人を選ぶテーマですが、このような想いから、ノンフィクションとしては出版しづらい内容という理由以上に、幅広い層の人に読んで貰いたいという理由のために小説形式で著しました。そしてそのうえで、幾つかの工夫を凝らしました。その一つは、資料を多数記載することです。記紀や聖書など広範囲にわたる内容を説明するためには、これまできいたこともないような固有名詞がどうしても多数必要になってきます。読みながら少しでも頭に残りやすくする工夫が不可欠であると考えたのです。

この結果として、歴史関係の情報量は、通常の小説と比較すると格段に増えてしまいました。それでも歴史に詳しい読者にも単なる私説を唱えた自分よがりのファンタジーとしてではなく、間接証拠のみで証明そのものを納得してもらうためには、網羅的、かつ複層的な証拠提供が必要です。本書で紹介した証拠はごく一部ですが、通常であれば五、六冊の小説が書けるほどの情報量を限られた紙幅に収めるため、ストーリー部分の削減を意識的に選択しました。そして世界観の説明を削減するために、国際政治、安全保障、政治思想などの問題は現在の実際のものをそのまま取り入れましたが、日頃からこれらを追っていない方にはリアリティーが感じられず、わかりづらかったかも知れません。

もう一つは、エンタメ調の平易な文章で書き、各章を短くして、できるだけテンポ良くストーリーを展開することです。上下巻合わせ六百頁を越える長編のうえ、取っつきにくい内容につまずいて読者が読むのを諦めてしまう可能性をできる限り抑えるために、常に各章がすぐ終わることを意識してもらいたかったからです。これらの甲斐あり、多くの若い方が本書を読まれ各方面からも評価をいただいていることで、エンタメとして読めるよう工夫するという私の当初の目標は達成されたものと評価しており、とても嬉しく思っております。

『アマテラスの暗号』がこれからも幅広い層の方々にも読まれ、各自が日本のルーツに興味を持ち、自分なりの結論を得るために歴史を調べるきっかけとなってくれることを願ってやみません。

伊勢谷　武

謝辞

この作品の出版に際し、数え切れないほどのご支援と助言を賜りました。ここに名を連ねることができないすべての方々に、深い敬意と感謝の意を表します。

まず執筆のための調査にあたり、籠神社第八十二代海部光彦宮司には神道と籠神社について、聖書研究家、レムナント出版代表久保有政先生（池袋キリスト教会初代牧師）にはキリスト教、ユダヤ教、聖書、そしてこれらと日本との関係について多くのことをお教えいただき、十字架クリスチャンセンター京都シオン教会エリヤ野中先生には聖書解釈についてチェックをしていただきました。また、ジョアン・ヒガシ氏にはユダヤ教やヘブライ語についてご教示いただきました。重ねて感謝の意を表します。

なお本書の内容が、必ずしもご協力いただいた先生方のご解釈と一致するものではないことを明記します。

編集にあたっては、豊田浩之氏、佐川和之氏、池田幹生氏より多大なご尽力をいただきました。また制作・出版の多岐にわたり、机直人・美和子夫妻、土倉宏司氏よりさまざまな観点からアドバイスをしていただきました。心から謝意を表します。

最初に本を書くことを薦めてくださり、思慮深い助言を数多く授けてくださった波頭亮氏には、厚くお礼を申しあげます。氏の勧奨がなければ、この物語自体が存在しなかったでしょう。

また、調査と執筆の長い月日を通じて、不平一つ言うことなく側で支えてくれた妻と娘には、感謝を捧げます。

このほか、出版不況といわれるなか、賞なし無名新人作家の長編小説の出版を即断し、『アマテラスの暗号』を最初に世に送り出してくださった廣済堂出版元社長後藤高志氏の決断に敬意を込めて深謝します。

最後に、末筆ではありますが、新進作家の文庫本出版を実現してくださった宝島社のスタッフの皆さまへの深い謝意を表します。また、この小説を見出し、自ら編集に携わってくださった稲庭里緒氏への感謝は言葉に尽くせません。

伊勢谷　武

本書は、二〇二〇年十月に廣済堂出版より刊行された同名書を加筆修正し、文庫化したものです。

画像提供　PIXTA（P20, 41上, 42, 81, 82, 93左下, 94, 110, 143, 151, 154, 158, 208, 232, 233, 247, 250, 262）
iStock（P47, 65右下, 103, 177, 178）

JASRAC 出 2401778-410
STAIRWAY TO HEAVEN
Words & Music by JIMMY PAGE and ROBERT PLANT

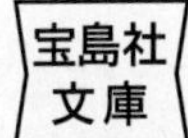

アマテラスの暗号（下）

（あまてらすのあんごう げ）

2024年3月13日　第1刷発行
2024年12月11日　第10刷発行

著　者　伊勢谷 武
発行人　関川 誠
発行所　株式会社 宝島社
〒102-8388　東京都千代田区一番町25番地
電話：営業 03(3234)4621／編集 03(3239)0599
https://tkj.jp

印刷・製本　中央精版印刷株式会社

Printed in Japan
First published 2020 by Kosaido Publishing, Inc.
ISBN 978-4-299-04987-2